前書き

公益社団法人全国経理教育協会では、専門学校や高等学校の学生のほか、一般社会人を対象に年５回電卓計算能力検定試験を実施しています。

電卓は、電卓を打つ手元を見ずにキー操作をすること（タッチメソッド）や、電卓のしくみや機能を知ることによってキー操作を省略することにより、速く計算することができます。電卓検定ではこれらの技能が一定水準以上であるかが試されます。

電卓検定は、乗算・除算・見取算・複合算の４種目と、３級以上は伝票算も加わり５種目で実施されます。乗・除算は珠算検定のそれとは違い、小計・合計・パーセントなど若干複雑な計算が盛り込まれており、計算量も多いです。しかし、GT機能やメモリー機能、定数計算など電卓特有の機能を使いこなせば、それほど難しいものではありません。複合算も同様に、電卓の機能を使いこなせれば、いくつかの計算が組み合わされてはいますが、一連の計算で解答できます。

見取算・伝票算は珠算とまったく同形式です。ただし、伝票算については、左手で電卓操作をする人が右手で伝票算をめくることも許されています。両者とも特殊なキー操作はありませんので、タッチメソッドのみの試験といえます。

本書では、巻頭に電卓検定問題を解答するに当たり、最低限必要と思われる事項を「電卓計算のポイント」として簡潔にまとめてあります。練習問題に入る前にじっくりと学習してから練習問題に臨んでください。また、より詳しい電卓の説明が必要な方や、さらに電卓を勉強したい方は当社刊『速算電卓の基礎演習』『EL-G37完全攻略テキスト』をご覧ください。

練習問題は「試験規則」及び「出題範囲」に準拠した模擬問題を、２階級各10回ずつ収録してあります。電卓の場合、同じ練習問題をくり返し練習することも上達の秘訣ですが、さらにたくさんの問題で練習したい方は『全経電卓計算直前模試』をご使用ください。

答案の記入につきましても、検定規則でいくつかの決まりがあります。答案記入上の注意と審査（採点）基準を参照の上、正しく答を記入する練習をしましょう。

解答については、検定試験では採点箇所となっていないと思われるところにもすべて解答が示されています。

なお、本書には伝票算は収録されておりませんので、別売の伝票算問題集を併せて学習してください。

目次

前書き…… 1
目次…… 2
電卓計算のポイント…… 3
Ⅰ　電卓の選び方…… 3
Ⅱ　乗算・除算のポイント…… 3
Ⅲ　複合算のポイント…… 7
Ⅳ　見取算のポイント…… 8
答案記入上の注意／審査（採点）基準…… 9
問題編…… 11
4級第1回…… 12
4級第2回…… 16
4級第3回…… 20
4級第4回…… 24
4級第5回…… 28
4級第6回…… 32
4級第7回…… 36
4級第8回…… 40
4級第9回…… 44
4級第10回…… 48
3級第1回…… 52
3級第2回…… 56
3級第3回…… 60
3級第4回…… 64
3級第5回…… 68
3級第6回…… 72
3級第7回…… 76
3級第8回…… 80
3級第9回…… 84
3級第10回…… 88
解答編…… 93

電卓計算のポイント

Ⅰ．電卓の選び方

公益社団法人全国経理教育協会主催の電卓計算能力検定試験においては、使用する電卓のメーカーや機種についての指定はありませんが、機能については以下の３点を持ち合わせているものを使うこととなっています。

① 12桁以上で試験場に電源を求めないもの

② グランドトータルキーのついているもの

③ メモリーキーやパーセントキーのついているもの

その他、速算に向く**葉書大のハンディーサイズ**であることや**端数処理機能**のついていること、また、上級に進むことを視野に入れて**小数部桁指定（ＴＡＢ）スイッチが４位**（できれば**５位**）まであるものが望ましいです。

Ⅱ．乗算・除算のポイント

１）注意書きの説明

（注意）無名数で小数第３位未満の端数が出たとき、名数で円位未満の端数が出たとき、パーセント小数第２位未満の端数が出たときは四捨五入すること。

① 名数と無名数

「無名数」とは名前の無い数、「名数」とは名前のある数のことです。言い換えれば名数は「単位」のついている数といえます。No. 1 ～No.10は数字の前後に単位を表す記号が無いので無名数、No.11 ～No.20は数字の前に「￥」記号があるので名数です。

『円位未満』とは１円未満の数字、つまり小数のことです。小数以下に数字のある場合には端数処理をします。

② 端数処理

「端数（はすう）」とは余りの数、「処理」とは切上げ／切捨て／四捨五入のいずれかを行うことです（電卓検定の乗・除算では段位から３級まですべて四捨五入です）。

例えば、『小数第３位未満の端数が出たときは四捨五入をすること』という注意書きのある場合に、電卓に『0.1457』と表示されていたら、小数第３位未満の端数である『７』を四捨五入し、答は『0.146』となります。

③ 電卓における端数処理

電卓における端数処理は、ＴＡＢスイッチとラウンドスイッチをセットしておくことにより、自動的に処理されます。

ＴＡＢスイッチ

F 5 4 3 2 1 0 A

端数処理する桁を指定するスイッチです。

F　『フローティング』といいます。小数部の桁数を表示部いっぱいまで表示します。

0～5　「５」に合わせれば小数第５位未満を、「４」に合わせれば４位未満を、「０」に合わせれば整数未満を端数処理します。

A　『アディングモード』といいます。加減算において整数を置数した場合に、自動的に置数値の下位から２桁を小数として表示します。

（注）電卓検定においてアディングモードは使用しません。

ラウンドスイッチ　　**四捨五入／切上げ／切捨てのいずれを行うかを指定するスイッチです。**

⇧5/4⇩　F CUT 5/4
シャープ製　カシオ製

⇧（UP）　：切上げ
5/4　　　：四捨五入
⇩（CUT）：切捨て

そこで、乗除算を電卓で計算する場合、
・無名数の計算の時（No. 1～No.10）にはＴＡＢスイッチを『３』
・名　数の計算の時（No.11～No.20）には　　〃　　『０』
・パーセントの計算の時にはＴＡＢスイッチを『２』
に合わせ、ラウンドスイッチを『5/4（四捨五入)』にセットして計算をすると、自動的に端数処理をした答が表示されます。

普通の乗・除算からパーセント計算に入るときや、逆にパーセント計算から普通の乗・除算に入るときにＴＡＢスイッチの切替を忘れないようにしましょう。

２）計算順序とポイント

①　ＴＡＢスイッチ・ラウンドスイッチの設定

まず、乗算・除算問題を計算する時は、電卓で自動的に端数処理をさせるため、注意書きのとおりにＴＡＢスイッチとラウンドスイッチをセットします。

ただし、ＴＡＢスイッチの設定は、普通計算からパーセント計算に移るとき、パーセント計算から普通計算に移るときと計３回切り替える必要があります。

ラウンドスイッチの場合は、乗算・除算とも、普通計算もパーセント計算もすべて四捨五入のため、最初に5/4（四捨五入）にセットしておけば、計算の途中で切り替える必要はありません。

②　計算順序

乗・除算は、右ページ計算例の（ア）～（ム）の順に計算して行きます。

（注）　乗・除算は大きく分けて無名数の計算（No.1～No.10）と名数の計算（No.11～No.20）に分けられます。両者とも計算順序は同じですので、ここでは名数の計算順序は省略しています。
　また、このキー操作はシャープ製電卓を元に作成しています。カシオ製電卓の場合は（　）内のとおりにキー操作をします（表示部は M/G が左すみに点灯し、定数計算時に“K”が表示されます）。

③　小計と合計

小計①（カ）と小計②（チ）は**ＧＴ**で、合計（ヌ）は**独立メモリー**で求めます。そのため、小計を求めた後にM+キーを押し（手順８と23)、メモリー入力することを忘れないようにしましょう。

（注）次ページのキー操作において、GTはＧＴを求めるために、GTはＧＴメモリーを消去するための操作です。

ＧＴとはグランドトータル（Grand Total）の頭文字で、= % M+ M- を押すことによって求められる**計算結果をＧＴメモリーに累算していく機能**です。この求められたＧＴの値は、ＧＴキーを押すことによって見ることができます。例えば、手順４の段階ではＧＴの値はいくつでしょうか。この段階では（ア）～（ウ）まで計算しましたから、ＧＴメモリー内で（ア）～（ウ）の答が累算され、ＧＴの値は（1, 915, 662 + 4, 334, 514 + 1, 298, 700 =)7, 548, 876となります。同じく手順５では(1, 915, 662 + 4, 334, 514 + 1, 298, 700 + 4, 435, 965 = ）11, 984, 841になります。

④　パーセントの計算

全経電卓検定の場合、パーセントの計算は２列あります。左側のパーセントは、小計①に対するNo. 1～No. 5の各々の比率（キ）～（サ）と、小計②に対するNo. 6～No.10の各々の比率（ツ）～（ニ）を求めさ

◎計算例とキー操作

1	2,683 × 714 = (ア)	1,915,662	(キ) ● 12.50 %	(ネ) 6.97 %
2	5,046 × 859 = (イ) ●	4,334,514	(ク) 28.28 %	(ノ) 15.78 %
3	1,350 × 962 = (ウ)	1,298,700	(ケ) ● 8.47 %	(ハ) 4.73 %
4	729 × 6,085 = (エ)	4,435,965	(コ) 28.94 %	(ヒ) ● 16.15 %
5	8,237 × 406 = (オ) ●	3,344,222	(サ) 21.82 %	(フ) 12.18 %
	No.1～No.5 小 計①＝ (カ)	15,329,063	100 %	
6	9,815 × 743 = (シ)	7,292,545	(ツ) 60.09 %	(ヘ) 26.55 %
7	6,702 × 198 = (ス) ●	1,326,996	(テ) 10.93 %	(ホ) 4.83 %
8	1,564 × 237 = (セ)	370,668	(ト) 3.05 %	(マ) ● 1.35 %
9	30,498 × 51 = (ソ) ●	1,555,398	(ナ) 12.82 %	(ミ) 5.66 %
10	4,971 × 320 = (タ)	1,590,720	(ニ) ● 13.11 %	(ム) 5.79 %
	No.6～No.10 小 計②＝ (チ)	12,136,327	100 %	
	(小計①＋②)合 計 ＝ (ヌ) ●	27,465,390		100 %

手順 F 5 4 3 2 1 0 A ⇧5/4⇩

手順	キー操作		表示
1.	CA (AC MC)		0.
2.	2 6 8 3 × 7 1 4 =	(ア)	1'915'662. G
3.	5 0 4 6 × 8 5 9 =	(イ)	4'334'514. G
4.	1 3 5 0 × 9 6 2 =	(ウ)	1'298'700. G
5.	7 2 9 × 6 0 8 5 =	(エ)	4'435'965. G
6.	8 2 3 7 × 4 0 6 =	(オ)	3'344'222. G
7.	GT	(カ)	15'329'063. G （小計①）
8.	M+		15'329'063. M G
9.	GT GT (カシオ製なし)		15'329'063. M
10.	÷ = (÷ ÷)		0.00 M （逆数計算(カシオ製は定数計算)）
11.	1 9 1 5 6 6 2 %	(キ)	12.50 M G
12.	4 3 3 4 5 1 4 %	(ク)	28.28 M G
13.	1 2 9 8 7 00 %	(ケ)	8.47 M G
14.	4 4 3 5 9 6 5 %	(コ)	28.94 M G
15.	3 3 4 4 2 2 2 %	(サ)	21.82 M G
16.	GT GT (AC)		100.01 M
17.	9 8 1 5 × 7 4 3 =	(シ)	7'292'545. M G
18.	6 7 0 2 × 1 9 8 =	(ス)	1'326'996. M G
19.	1 5 6 4 × 2 3 7 =	(セ)	370'668. M G
20.	3 0 4 9 8 × 5 1 =	(ソ)	1'555'398. M G
21.	4 9 7 1 × 3 2 0 =	(タ)	1'590'720. M G
22.	GT	(チ)	12'136'327. M G （小計②）
23.	M+		12'136'327. M G
24.	GT GT (カシオ製なし)		12'136'327. M
25.	÷ = (÷ ÷)		0.00 M （逆数計算(カシオ製は定数計算)）
26.	7 2 9 2 5 4 5 %	(ツ)	60.09 M G
27.	1 3 2 6 9 9 6 %	(テ)	10.93 M G
28.	3 7 0 6 6 8 %	(ト)	3.05 M G
29.	1 5 5 5 3 9 8 %	(ナ)	12.82 M G
30.	1 5 9 0 7 2 0 %	(ニ)	13.11 M G
31.	GT GT (カシオ製なし)		100.00 M
32.	RM (MR)	(ヌ)	27'465'390. M （合計）
33.	÷ = (÷ ÷)		0.00 M
34.	1 9 1 5 6 6 2 %	(ネ)	6.97 M G
35.	4 3 3 4 5 1 4 %	(ノ)	15.78 M G
36.	1 2 9 8 7 00 %	(ハ)	4.73 M G
37.	4 4 3 5 9 6 5 %	(ヒ)	16.15 M G
38.	3 3 4 4 2 2 2 %	(フ)	12.18 M G
39.	7 2 9 2 5 4 5 %	(ヘ)	26.55 M G
40.	1 3 2 6 9 9 6 %	(ホ)	4.83 M G
41.	3 7 0 6 6 8 %	(マ)	1.35 M G
42.	1 5 5 5 3 9 8 %	(ミ)	5.66 M G
43.	1 5 9 0 7 2 0 %	(ム)	5.79 M G
44.	GT GT (カシオ製なし)		99.99 M

パーセントのGTが～100(99.98～100.02は許容範囲)%になれば、ここの計算は大方正答であると推測できる(シャープ製のみ)。

◎キー操作の説明

手順1：計算を始めるにあたり、電卓を“ご破算”します。

手順2～6：通常の乗算を計算します。計算式どおりに置数していき、（ア）～（オ）に記入します。

手順7：小計①（カ）をGTで求めます。

手順8：手順32で合計（ヌ）を求めるため、小計①をメモリー入力しておきます。

手順9：パーセント（キ）～（サ）のGTを“検算のため”に求めるには、ここでGT値を消去します（カシオ製はGT値のみを消去することはできないので、この操作はありません）。

手順10：パーセントは逆数計算（カシオ製は定数計算）で求めます。

手順11：（ア）の値を置数し、[%]を押すことにより、（キ）を求めます。

手順12～15：（ク）～（サ）は定数計算を用いると、（イ）～（オ）を入力し[%]を押すだけで求められます。

手順16：[GT]でパーセントのGTを求め、99.98～100.02の間であれば大方正答と推測できます。そして次の計算に備え、[GT]でGT値を消去します（カシオ製はGT値のみを消去することはできないので、[AC]でメモリー以外の数値を消去します）。

手順17～21：（シ）～（タ）を求めます。計算式どおりに置数します。

手順22：小計②（チ）をGTで求めます。

手順23：手順32で合計（ヌ）を求めるため、小計②をメモリー入力します。

手順24：パーセント（ツ）～（ニ）のGTを“検算のため”に求めるには、ここでGT値を消去します（カシオ製はGT値のみを消去することはできないので、この操作はありません）。

手順25：パーセントは逆数計算（カシオ製は定数計算）で求めます。

手順26～30：定数計算を用いて（ツ）～（ニ）を求めます。

手順31：[GT]でパーセントのGTを求め、99.98～100.02の間であれば大方正答と推測できます。右列のパーセントも同様に“検算のため”にGTを求めるには、ここで[GT]でGT値を消去します（カシオ製はGT値のみを消去することはできないので、この操作はありません）。

手順32：合計を求めるために小計①と②をメモリー内に加算していたので、[RM]（[MR]）で呼び出し、合計を求めます。

手順33：パーセントは逆数計算（カシオ製は定数計算）で求めます。

手順34～43：定数計算を用いて（ネ）～（ム）を求めます。

手順44：[GT]でパーセントのGTを求め、99.98～100.02の間であれば大方正答と推測できます（カシオ製にはこの操作はありません）。次の[GT]はGT値を消去するための操作ですが、次は手順1に戻り[CA]を押すので省略しても構いません）。

せる問題で、右側のパーセントは合計に対するNo. 1～No.10の各々の比率（ネ）～（ム）を求めさせる問題です。ストローク数は多いですが、**逆数計算**や**定数計算**などの機能を用いることにより、キーストローク（打数）を省略できます。

例えば、パーセント（キ）は $\frac{\text{問1の答(ア)}}{\text{小計①(カ)}}$ で求められますので、小計①を分母とした分数の計算を逆数計算機能を用いて行います。（ク）～（サ）も同じように逆数計算で求めますが、分母はすでに定数となっていますので、（イ）～（オ）の値を順次置数し[%]キーを押すだけで求められます（詳しい計算方法については当社刊『速算電卓の基礎演習』『EL-G37完全攻略テキスト』をご参照下さい）。

検　算　前ページのキー操作のように、パーセントのＧＴを求めてみましょう。パーセントのＧＴが100％（99.98～100.02は許容範囲）になれば、ここの計算は大方正答であると推測できます（シャープ製のみ）。

3）採点

乗算と除算は、答を記入する箇所が普通の乗除算とパーセント計算を合わせて66箇所（段位は132箇所）ありますが、そのすべてを採点するわけではありません。乗算・除算の普通計算は26箇所のうち10箇所（段位は52箇所のうち20箇所）が、パーセント計算は40箇所のうち10箇所（同80箇所のうち20箇所）が採点対象（採点箇所）となります。そして１題につき５点で集計され、全問正答で（10＋10）×５点＝100点となります（段位は200点）。

５ページの計算例を見て下さい。ここではすべて解答が埋まっていますが、試験では●のあるところだけが採点されます。しかし、受験者にはどの問題が採点対象となっているのかは分かりませんので、すべての答を記入する必要があります。

また、１級において満点合格の場合には全国経理教育協会より「満点表彰」されますが、この場合は、採点箇所以外の答も正答である必要があります。

Ⅲ．複合算のポイント

複合算とは、２つ以上の演算（加減乗除）を含む一進の計算式による問題で、電卓検定の場合は２つの演算が基本となっています。各問題は大まかに分類して４パターン、細かく分けても〈別表〉に掲げた21のパターンに分類されます。

複合算はメモリー機能を使って計算します。各パターンのキー操作は〈別表〉以外にもある場合がありますが、表で示した手順ですべて計算できます。**〈別表〉複合算の標準計算式とキー操作**を必ずマスターしましょう。

1）注意書きの説明

（注意）整数未満の端数が出たときは切り捨てること。ただし、端数処理は１題の解答について行うのではなく、１計算ごとに行うこと。

複合算の端数処理は、「１計算ごとに」行うこととなっています。「１計算ごと」とは、〈別表〉におけるAとB、CとDの部分に当たる各々の計算をさします。現在の検定試験では、複合算20題（段位は40題）のうち、端数が出る問題は４題（同８題）程度含まれているようです。しかし、この４題が第何問目に出題されるかは分かりませんので、すべての問題において「１計算ごと」に端数処理をすることが必要です。

電卓での端数処理は、計算結果を求めるキー、つまり[M+]、[M−]、[%]、[=]のいずれかを押したときに実行されます。次ページの計算例でいえば、（35,081.4÷7.9）については手順５で[M+]を押しているので、メモリー入力と同時に端数処理が実行されています。また、（371,604÷591.3）も同様に端数処理をするために、手順９で[=]を押し、端数処理をします。

複合算20題のうち、端数処理を必要としない問題の方が圧倒的に多いのですが、どこに端数処理の必要な問題が出てくるか分からない以上、すべての問題で[=]を押さなくてはなりません。

2）採点

すべて１題５点で採点され、20×５点=100点（段位は40×５点＝200点）が満点です。

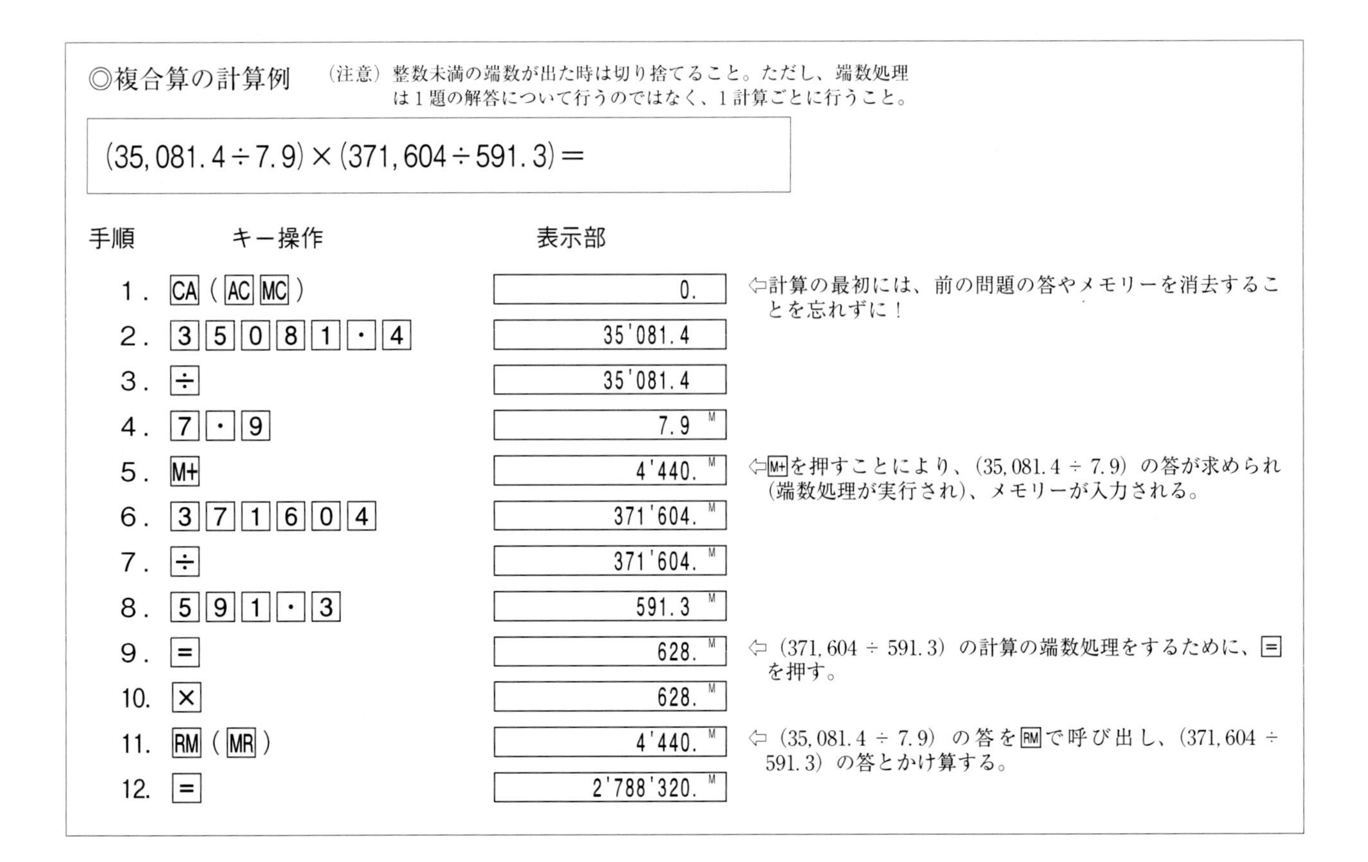

◎複合算の計算例　（注意）整数未満の端数が出た時は切り捨てること。ただし、端数処理は１題の解答について行うのではなく、１計算ごとに行うこと。

(35, 081. 4÷7. 9)×(371, 604÷591. 3)＝

手順	キー操作	表示部	
1.	CA (AC MC)	0.	⇦計算の最初には、前の問題の答やメモリーを消去することを忘れずに！
2.	3 5 0 8 1 · 4	35'081.4	
3.	÷	35'081.4	
4.	7 · 9	7.9 M	
5.	M+	4'440. M	⇦M+を押すことにより、(35, 081. 4 ÷ 7. 9) の答が求められ(端数処理が実行され)、メモリーが入力される。
6.	3 7 1 6 0 4	371'604. M	
7.	÷	371'604. M	
8.	5 9 1 · 3	591.3 M	
9.	=	628. M	⇦ (371, 604 ÷ 591. 3) の計算の端数処理をするために、=を押す。
10.	×	628. M	
11.	RM (MR)	4'440. M	⇦ (35, 081. 4 ÷ 7. 9) の答をRMで呼び出し、(371, 604 ÷ 591. 3) の答とかけ算する。
12.	=	2'788'320. M	

Ⅳ. 見取算のポイント

見取算は加減算のみの計算で、数字が枠に囲まれてはいますが、筆算式と同様です。難しいキー操作はありませんので、『タッチメソッド』を習得し、**いかに速くキーを打つか**に専念しましょう。

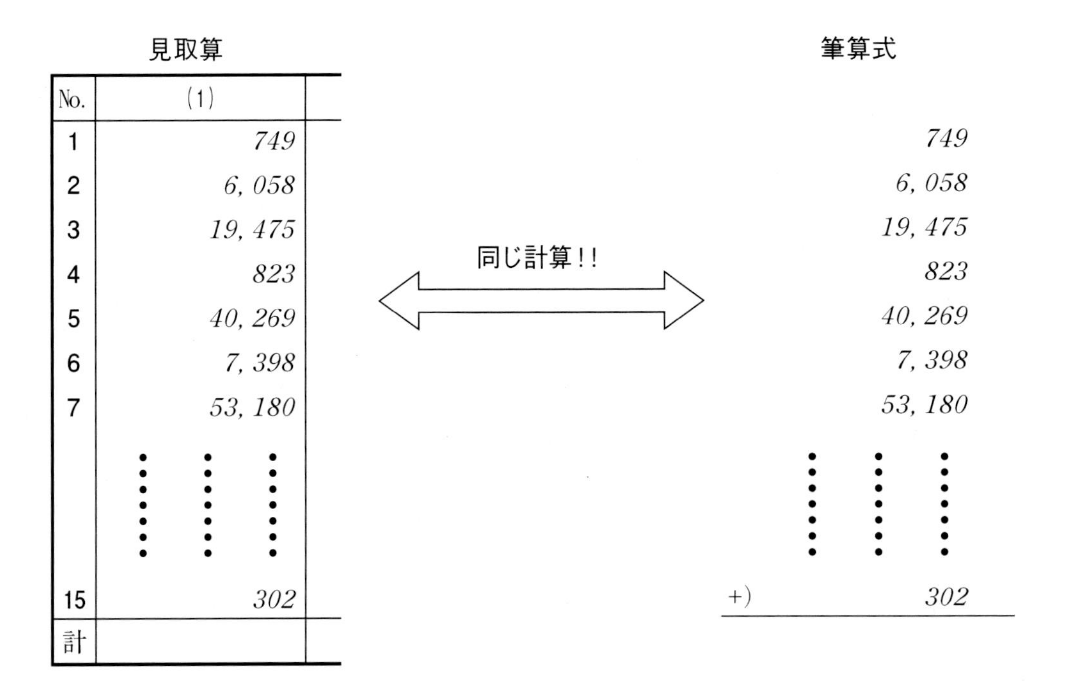

答案記入上の注意

答を記入する際には以下のことに気を付けましょう。

① 小数点「．」をつける。

② 整数部分が４桁以上になる答には、３位ごとにカンマ「，」をつける。

③ 名数の問題の答には、「¥」記号を省略しても良い。

④ 答を訂正したときに、欄外に答を記入した場合には、番号または矢印でどの問題の答であるかを明らかにする。

⑤ 端数処理をしたことにより生じた「０」は、書かなくとも良い。

なお、詳しくは以下の審査（採点）基準を参照のこと。

審査（採点）基準

電卓計算能力検定試験の答案審査（採点）は、次の基準にしたがって行う。

１．初審査は、赤鉛筆または赤ボールペンで、１題ごとに「○・×」を答の数字に重ならないように記入する。

２．再審査は、１級以下は60点以上、段位は80点以上の答案を青鉛筆または青ボールペンで行う。得点が変更されるときは、青で訂正し、審査の責任者の認印を押す。

３．答案審査にあたって、次の各項に該当するものは無効とする。

(1) １つの数字が他の数字に読めたり、数字が判読できないもの。

(2) 整数部分の４桁以上に３位ごとのカンマ「，」のないもの。

(3) 整数未満に小数点「．」のないもの。

(4) カンマ「，」や小数点「．」を上の方につけたり、区別のつかないもの。

(5) カンマ「，」や小数点「．」と数字が重なっていたり、数字と数字の間にないもの。

(6) 小数点「．」をマル「。」と書いたもの。

(7) 無名数の答に円「¥」等を書いてあるもの。
ただし、名数のときは円「¥」等を書いても、書かなくても正解とする。

(8) 所定の欄に答を書いてないもの。
ただし、見取算・伝票算は枠で囲まれた部分、乗算・除算・複合算は等号「＝」より右側枠内をその問題の答の所定欄とする。答が所定欄からはみ出したときは、その答の半分以内であれば有効とする。
また、欄外に訂正し、番号または矢印を添えてあるものは有効とする。

(9) 答の一部を訂正したもの。
≪例≫【電卓表示窓】１’２３４.５６７

１,２３４.５６７
~~１,２３３.５６７~~（正）　　１,２３４.５６７
~~１,２３３.５６７~~（正）

４
１,２３~~３~~.５６７（誤）　　１,２３４＼．５６７（誤）

１,２３４.
~~１,２３３.~~５６７（誤）　　１,２３４.
~~１,２３４.~~５６７（誤）

ただし、消しゴムでもとの数字を完全に消して、書き改めたものは有効とする。

(10) 所定の欄にあらかじめ印刷してある番号を訂正したり、入れ替えたりしたもの。

(11) 答を縦に書いてあったり、小数部分を小さく書いたり、２行以上に書いてあるもの。

(12) 所定の欄に２つ以上の答が書いてあるもの。

４．答案記入上の例示

端数処理した答は次のように扱う。(小数第３位未満の端数を四捨五入)

【電卓表示窓】

0. 3695→０．３７０（正）　０．３７（正）　．３７０（正）　．３７（正）

2. 3001→２．３００（正）　２．３（正）　２．３０（誤）

(全国経理教育協会発行『検定の手引き』より)

※　電卓の場合、TABスイッチのセットの仕方によっては、たとえ整数未満に端数のでない計算の場合でも、整数未満に『0』が表示される。つまり、小数の末尾の『0』が端数処理をしたことによって生じた『0』(上例のような) なのか、TABスイッチをセットしていることにより表示された『0』なのかの判断はつきにくい。そこで、電卓検定において答案を記入する場合には、小数の末尾の『0』はなるべく書かない方が良い (ただし、最近の問題では、答の末尾に『0』のつく問題は採点箇所からはずれている傾向がある)。

検定電卓計算問題集

問題編

第1回　4級 乗 算 問 題 (制限時間10分)

採点欄

【禁無断転載】

(注意) パーセントの小数第2位未満の端数が出たときは四捨五入すること。

No.							
1	2, 683	×	714	=		%	%
2	5, 046	×	859	=		%	%
3	1, 350	×	962	=		%	%
4	729	×	6, 085	=		%	%
5	8, 237	×	406	=		%	%
No.1～No.5 小 計 ① =						100 %	
6	9, 815	×	743	=		%	%
7	6, 702	×	198	=		%	%
8	1, 564	×	237	=		%	%
9	30, 498	×	51	=		%	%
10	4, 971	×	320	=		%	%
No.6～No.10 小 計 ② =						100 %	
(小計 ① + ②) 合 計 =							100 %
11	¥ 659	×	8, 129	=		%	%
12	¥ 8, 045	×	375	=		%	%
13	¥ 1, 930	×	658	=		%	%
14	¥ 3, 472	×	201	=		%	%
15	¥ 9, 826	×	907	=		%	%
No.11～No.15 小 計 ③ =						100 %	
16	¥ 5, 164	×	184	=		%	%
17	¥ 7, 608	×	563	=		%	%
18	¥ 19, 053	×	76	=		%	%
19	¥ 4, 287	×	340	=		%	%
20	¥ 2, 371	×	492	=		%	%
No.16～No.20 小 計 ④ =						100 %	
(小計 ③ + ④) 合 計 =							100 %

第1回　4級 除 算 問 題 （制限時間10分）

採　点　欄

【禁無断転載】

（注意）パーセントの小数第2位未満の端数が出たときは四捨五入すること。

No.						
1	621, 726	÷	791	=	%	%
2	95, 580	÷	27	=	%	%
3	263, 802	÷	462	=	%	%
4	33, 800	÷	325	=	%	%
5	121, 412	÷	508	=	%	%
No.1〜No.5　小　計 ① =					100　%	
6	402, 960	÷	4, 380	=	%	%
7	212, 768	÷	976	=	%	%
8	374, 567	÷	809	=	%	%
9	107, 338	÷	154	=	%	%
10	493, 465	÷	613	=	%	%
No.6〜No.10　小　計 ② =					100　%	
（小計 ① + ②）合　計 =						100　%
11	¥ 639, 240	÷	84	=	%	%
12	¥ 101, 106	÷	369	=	%	%
13	¥ 119, 796	÷	201	=	%	%
14	¥ 384, 336	÷	942	=	%	%
15	¥ 521, 875	÷	835	=	%	%
No.11〜No.15　小　計 ③ =					100　%	
16	¥ 194, 436	÷	198	=	%	%
17	¥ 87, 360	÷	6, 720	=	%	%
18	¥ 406, 107	÷	507	=	%	%
19	¥ 162, 792	÷	456	=	%	%
20	¥ 313, 007	÷	713	=	%	%
No.16〜No.20　小　計 ④ =					100　%	
（小計 ③ + ④）合　計 =						100　%

4級

第1回　4級 見取算問題 (制限時間10分)

採　点　欄

【禁無断転載】

No.	(1)	(2)	(3)	(4)	(5)
1	¥ 362	¥ 7, 234	¥ 2, 564	¥ 2, 059	¥ 62, 709
2	91, 603	549	481	981	257
3	7, 430	60, 713	80, 173	58, 607	9, 132
4	926	295	−531	321	894
5	5, 718	4, 089	−8, 960	6, 485	−30, 782
6	40, 569	91, 236	287	19, 874	−4, 315
7	327	2, 571	51, 798	7, 325	−653
8	8, 475	74, 860	4, 916	32, 914	95, 028
9	36, 901	375	853	460	6, 430
10	158	6, 197	73, 402	6, 702	41, 826
11	8, 702	13, 602	−6, 270	71, 025	3, 017
12	23, 946	984	−304	839	−541
13	581	2, 058	−45, 692	90, 167	−7, 689
14	7, 849	80, 163	6, 719	634	965
15	14, 025	458	92, 035	8, 543	10, 478
計					

No.	(6)	(7)	(8)	(9)	(10)
1	¥ 296	¥ 36, 074	¥ 5, 164	¥ 271	¥ 10, 275
2	4, 983	267	91, 480	3, 097	648
3	72, 610	5, 391	3, 017	17, 954	8, 036
4	348	−402	69, 873	5, 643	35, 489
5	1, 097	−3, 894	325	93, 018	174
6	571	87, 520	9, 248	−786	89, 352
7	16, 032	−5, 768	439	−1, 840	1, 298
8	8, 745	−649	27, 568	−49, 658	740
9	954	9, 104	5, 701	2, 471	4, 385
10	39, 860	31, 057	692	80, 529	561
11	7, 502	−821	86, 753	206	70, 692
12	20, 319	−10, 236	102	72, 813	9, 106
13	5, 124	−9, 475	40, 926	−935	713
14	486	28, 613	1, 084	−6, 304	62, 934
15	83, 675	958	357	562	7, 052
計					

第1回　4級 複合算問題 (制限時間10分)

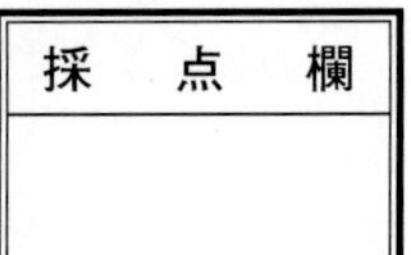

No.	
1	(360 − 197) × (7, 018 − 632) =
2	(2, 201, 993 − 6, 791) ÷ (4, 097 − 683) =
3	338, 338 ÷ 3, 718 + 3, 381, 980 ÷ 49, 735 =
4	(297 × 567) ÷ (21, 141 ÷ 783) =
5	5, 617, 178 ÷ 607 + 182 × 2, 530 =
6	7, 546, 931 ÷ 47 − 321 × 64 =
7	1, 882, 335 ÷ 39 − 516, 624 ÷ 752 =
8	(5, 174 − 791) × (483 + 501) =
9	(1, 906 + 4, 821) × (540 + 619) =
10	(204 + 3, 634) × (1, 725 − 468) =
11	(442, 544 + 839, 576) ÷ (827 + 503) =
12	794 × 3, 093 − 719 × 53 =
13	(1, 079, 619 − 71, 892) ÷ (284 + 737) =
14	(3, 607, 087 + 48, 162) ÷ (714 − 235) =
15	463 × 5, 028 + 7, 192 × 457 =
16	8, 615 × 603 − 2, 589, 100 ÷ 68 =
17	(825, 125 ÷ 287) × (444, 268 ÷ 4, 829) =
18	2, 794 × 384 + 481, 412 ÷ 7, 892 =
19	(248, 252, 004 ÷ 498) ÷ (512, 442 ÷ 6, 174) =
20	(89, 352 × 7, 446) ÷ (51 × 73) =

第2回　4級 乗 算 問 題 (制限時間10分)

採点欄

【禁無断転載】

(注意) パーセントの小数第2位未満の端数が出たときは四捨五入すること。

No.							
1	4, 018	×	804	=		%	%
2	7, 581	×	273	=		%	%
3	2, 934	×	562	=		%	%
4	679	×	7, 950	=		%	%
5	3, 185	×	617	=		%	%
No.1〜No.5 小計 ① =						100 %	
6	9, 650	×	136	=		%	%
7	8, 297	×	385	=		%	%
8	20, 346	×	49	=		%	%
9	5, 403	×	421	=		%	%
10	1, 762	×	908	=		%	%
No.6〜No.10 小計 ② =						100 %	
(小計 ① + ②) 合計 =							100 %
11	¥ 50, 398	×	43	=		%	%
12	¥ 4, 752	×	829	=		%	%
13	¥ 216	×	8, 901	=		%	%
14	¥ 1, 805	×	350	=		%	%
15	¥ 9, 451	×	162	=		%	%
No.11〜No.15 小計 ③ =						100 %	
16	¥ 7, 863	×	245	=		%	%
17	¥ 4, 327	×	637	=		%	%
18	¥ 6, 179	×	718	=		%	%
19	¥ 8, 094	×	906	=		%	%
20	¥ 3, 620	×	574	=		%	%
No.16〜No.20 小計 ④ =						100 %	
(小計 ③ + ④) 合計 =							100 %

第2回　4級 除 算 問 題 (制限時間10分)

採　点　欄

【禁無断転載】

(注意) パーセントの小数第２位未満の端数が出たときは四捨五入すること。

No.						
1	404, 612	÷	502	=	%	%
2	443, 928	÷	8, 376	=	%	%
3	286, 994	÷	391	=	%	%
4	260, 952	÷	524	=	%	%
5	371, 484	÷	607	=	%	%
No.1〜No.5 小 計 ① =					100 %	
6	616, 762	÷	718	=	%	%
7	75, 900	÷	460	=	%	%
8	79, 810	÷	23	=	%	%
9	203, 895	÷	985	=	%	%
10	137, 229	÷	149	=	%	%
No.6〜No.10 小 計 ② =					100 %	
(小計 ① + ②) 合 計 =						100 %
11	¥ 99, 360	÷	138	=	%	%
12	¥ 100, 529	÷	481	=	%	%
13	¥ 135, 708	÷	263	=	%	%
14	¥ 275, 865	÷	795	=	%	%
15	¥ 121, 578	÷	69	=	%	%
No.11〜No.15 小 計 ③ =					100 %	
16	¥ 134, 250	÷	150	=	%	%
17	¥ 376, 596	÷	594	=	%	%
18	¥ 378, 216	÷	927	=	%	%
19	¥ 175, 462	÷	302	=	%	%
20	¥ 751, 068	÷	8, 076	=	%	%
No.16〜No.20 小 計 ④ =					100 %	
(小計 ③ + ④) 合 計 =						100 %

第2回　4級 見取算問題（制限時間10分）

採　点　欄

【禁無断転載】

No.	(1)	(2)	(3)	(4)	(5)
1	¥ 8, 541	¥ 8, 691	¥ 10, 542	¥ 8, 309	¥ 72, 580
2	73, 082	417	926	172	267
3	376	6, 975	5, 074	24, 069	6, 018
4	6, 924	31, 062	24, 816	683	932
5	210	−239	147	7, 290	4, 896
6	90, 841	−5, 804	3, 759	60, 578	10, 472
7	4, 750	10, 326	637	−813	368
8	175	5, 487	51, 902	−1, 345	21, 604
9	89, 634	27, 805	4, 860	−92, 587	7, 953
10	2, 467	540	378	456	501
11	983	−71, 293	89, 231	53, 012	49, 085
12	31, 605	−9, 058	6, 329	6, 105	8, 137
13	5, 239	−136	185	−794	324
14	12, 056	48, 769	60, 793	−8, 431	53, 749
15	798	342	8, 054	74, 926	9, 615
計					

No.	(6)	(7)	(8)	(9)	(10)
1	¥ 97, 820	¥ 84, 107	¥ 4, 531	¥ 62, 751	¥ 1, 032
2	3, 985	2, 438	104	8, 412	726
3	698	812	20, 917	298	40, 913
4	42, 103	5, 096	895	1, 304	3, 728
5	284	−10, 574	92, 657	53, 047	59, 160
6	1, 359	−689	710	168	346
7	50, 463	49, 163	8, 045	−87, 596	76, 809
8	6, 841	318	37, 426	−659	452
9	176	−8, 057	6, 958	−9, 042	5, 687
10	79, 032	−269	203	78, 439	804
11	2, 517	−5, 346	80, 674	213	97, 251
12	760	64, 705	9, 183	4, 357	8, 694
13	89, 345	327	562	60, 592	417
14	5, 071	2, 950	14, 379	−106	83, 095
15	642	37, 291	3, 826	−3, 780	2, 153
計					

第2回　4級 複合算問題 (制限時間10分)

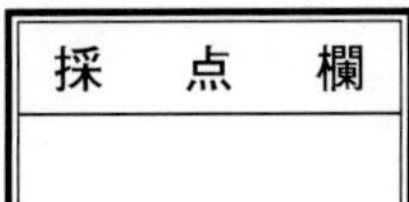

No.	
1	(2, 871, 148 − 6, 429) ÷ (3, 971 − 682) =
2	(987 × 517) ÷ (16, 262 ÷ 346) =
3	336, 139 ÷ 5, 017 + 3, 424, 714 ÷ 58, 046 =
4	(741 − 395) × (9, 105 − 746) =
5	1, 319, 768 ÷ 829 + 215 × 3, 471 =
6	6, 377, 588 ÷ 86 − 584, 888 ÷ 904 =
7	(2, 135 + 3, 728) × (623 + 789) =
8	(4, 263 − 819) × (521 + 754) =
9	3, 508, 656 ÷ 67 − 279 × 53 =
10	(348 + 4, 926) × (1, 623 − 705) =
11	805 × 4, 182 − 608 × 42 =
12	(3, 780, 611 + 59, 053) ÷ (825 − 346) =
13	(73, 848 − 6, 781) ÷ (372 + 629) =
14	(1, 005 + 128, 465) ÷ (718 + 492) =
15	574 × 6, 139 + 8, 203 × 568 =
16	(152, 656 ÷ 47) × (200, 344 ÷ 2, 536) =
17	(46, 543, 872 ÷ 5, 232) ÷ (49, 440 ÷ 6, 180) =
18	6, 781 × 193 + 344, 688 ÷ 8, 016 =
19	2, 538 × 167 − 135, 513 ÷ 81 =
20	(20, 250 × 4, 950) ÷ (25 × 18) =

第3回　4級 乗 算 問 題 (制限時間10分)

採 点 欄

【禁無断転載】

(注意) パーセントの小数第２位未満の端数が出たときは
四捨五入すること。

No.						%	%
1		5,138	×	209	=	%	%
2		2,384	×	176	=	%	%
3		629	×	7,815	=	%	%
4		3,495	×	230	=	%	%
5		6,072	×	498	=	%	%
No.1〜No.5 小 計 ① =						100 %	
6		9,026	×	541	=	%	%
7		7,813	×	652	=	%	%
8		4,951	×	307	=	%	%
9		14,067	×	84	=	%	%
10		8,750	×	963	=	%	%
No.6〜No.10 小 計 ② =						100 %	
(小計 ① + ②) 合 計 =							100 %
11	¥	6,435	×	163	=	%	%
12	¥	2,186	×	834	=	%	%
13	¥	379	×	7,041	=	%	%
14	¥	8,590	×	502	=	%	%
15	¥	13,047	×	96	=	%	%
No.11〜No.15 小 計 ③ =						100 %	
16	¥	9,268	×	327	=	%	%
17	¥	7,652	×	970	=	%	%
18	¥	1,804	×	419	=	%	%
19	¥	5,721	×	258	=	%	%
20	¥	4,903	×	685	=	%	%
No.16〜No.20 小 計 ④ =						100 %	
(小計 ③ + ④) 合 計 =							100 %

第3回　4級 除 算 問 題 (制限時間10分)

採　点　欄

【禁無断転載】

(注意) パーセントの小数第2位未満の端数が出たときは四捨五入すること。

No.						
1	165, 152	÷	208	=	%	%
2	347, 700	÷	915	=	%	%
3	205, 282	÷	341	=	%	%
4	330, 676	÷	76	=	%	%
5	104, 536	÷	584	=	%	%
No.1〜No.5 小 計 ① =					100 %	
6	115, 225	÷	4, 609	=	%	%
7	93, 236	÷	572	=	%	%
8	783, 169	÷	827	=	%	%
9	345, 240	÷	630	=	%	%
10	155, 558	÷	193	=	%	%
No.6〜No.10 小 計 ② =					100 %	
(小計 ① + ②) 合 計 =						100 %
11	¥ 122, 976	÷	183	=	%	%
12	¥ 110, 214	÷	702	=	%	%
13	¥ 467, 236	÷	574	=	%	%
14	¥ 194, 590	÷	638	=	%	%
15	¥ 39, 691	÷	19	=	%	%
No.11〜No.15 小 計 ③ =					100 %	
16	¥ 337, 834	÷	826	=	%	%
17	¥ 243, 076	÷	907	=	%	%
18	¥ 179, 945	÷	2, 465	=	%	%
19	¥ 209, 040	÷	390	=	%	%
20	¥ 424, 391	÷	451	=	%	%
No.16〜No.20 小 計 ④ =					100 %	
(小計 ③ + ④) 合 計 =						100 %

4級

第3回　4級 見取算問題 (制限時間10分)

採点欄

No.	(1)	(2)	(3)	(4)	(5)
1	¥ 749	¥ 1, 047	¥ 876	¥ 632	¥ 37, 541
2	6, 058	98, 701	5, 203	7, 346	865
3	19, 475	358	46, 059	42, 871	90, 152
4	823	7, 564	8, 691	1, 925	−3, 807
5	40, 269	235	715	350	−684
6	7, 398	49, 170	30, 864	53, 609	29, 576
7	53, 180	613	−9, 542	724	1, 432
8	416	3, 824	−687	68, 907	45, 710
9	62, 534	259	−13, 075	2, 498	7, 963
10	8, 097	76, 195	5, 248	786	218
11	751	3, 482	92, 310	1, 053	−8, 091
12	4, 637	21, 076	−724	89, 240	−937
13	95, 201	308	−8, 931	167	−50, 629
14	1, 826	80, 926	64, 107	98, 015	384
15	302	5, 649	−329	4, 531	4, 206
計					

No.	(6)	(7)	(8)	(9)	(10)
1	¥ 1, 307	¥ 635	¥ 538	¥ 236	¥ 750
2	26, 135	3, 918	3, 406	6, 015	47, 602
3	756	70, 549	60, 197	93, 201	397
4	49, 012	−6, 451	921	749	5, 241
5	571	−38, 024	41, 857	−5, 908	19, 435
6	8, 904	−897	149	−684	693
7	70, 385	5, 132	6, 970	21, 375	4, 289
8	219	980	57, 416	7, 023	30, 124
9	52, 640	21, 765	245	891	876
10	938	−4, 306	3, 582	−60, 479	6, 109
11	6, 419	−268	29, 038	−2, 896	58, 421
12	87, 390	90, 743	7, 304	−148	6, 038
13	4, 862	7, 482	98, 652	41, 537	857
14	658	271	1, 026	8, 752	93, 016
15	3, 427	19, 506	783	54, 360	7, 852
計					

第3回　4級 複合算問題 (制限時間10分)

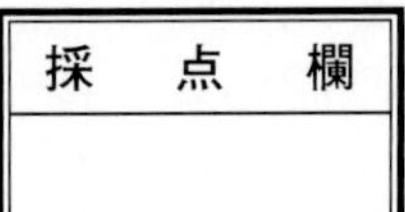

No.	
1	(2, 389, 837 − 4, 363) ÷ (7, 028 − 346) =
2	263, 245 ÷ 3, 097 + 2, 871, 017 ÷ 42, 851 =
3	(639 − 261) × (5, 917 − 640) =
4	(108 × 594) ÷ (43, 902 ÷ 813) =
5	3, 898, 962 ÷ 927 + 192 × 3, 098 =
6	1, 938, 525 ÷ 75 − 291, 118 ÷ 893 =
7	(3, 152 − 708) × (419 + 643) =
8	1, 392, 440 ÷ 56 − 168 × 42 =
9	(1, 024 + 2, 617) × (512 + 678) =
10	(237 + 3, 815) × (2, 734 − 816) =
11	825 × 2, 109 − 617 × 64 =
12	(1, 347, 886 − 97, 024) ÷ (327 + 952) =
13	(495, 090 + 128, 034) ÷ (584 + 327) =
14	(3, 427, 462 + 79, 268) ÷ (971 − 356) =
15	614 × 7, 126 + 9, 281 × 363 =
16	(453, 768 ÷ 56) × (185, 556 ÷ 1, 974) =
17	4, 829 × 207 + 557, 066 ÷ 7, 846 =
18	1, 974 × 305 − 424, 359 ÷ 93 =
19	(62, 811, 648 ÷ 7, 608) ÷ (21, 968 ÷ 2, 746) =
20	(11, 628 × 2, 736) ÷ (19 × 36) =

4級

第4回　4級 乗 算 問 題 (制限時間10分)

(注意) パーセントの小数第２位未満の端数が出たときは
四捨五入すること。

採　点　欄

No.							
1	4,720	×	902	=		%	%
2	5,213	×	374	=		%	%
3	1,035	×	587	=		%	%
4	9,814	×	436	=		%	%
5	69,087	×	85	=		%	%
No.1〜No.5 小計 ① =						１００ %	
6	938	×	5,068	=		%	%
7	3,509	×	619	=		%	%
8	2,456	×	193	=		%	%
9	8,671	×	241	=		%	%
10	7,642	×	720	=		%	%
No.6〜No.10 小計 ② =						１００ %	
(小計 ① + ②) 合計 =							１００ %
11	¥ 70,916	×	94	=		%	%
12	¥ 8,257	×	547	=		%	%
13	¥ 1,035	×	362	=		%	%
14	¥ 9,643	×	109	=		%	%
15	¥ 5,801	×	875	=		%	%
No.11〜No.15 小計 ③ =						１００ %	
16	¥ 529	×	6,850	=		%	%
17	¥ 4,830	×	431	=		%	%
18	¥ 3,742	×	128	=		%	%
19	¥ 6,178	×	206	=		%	%
20	¥ 2,694	×	793	=		%	%
No.16〜No.20 小計 ④ =						１００ %	
(小計 ③ + ④) 合計 =							１００ %

第4回　4級 除 算 問 題 (制限時間10分)

(注意) パーセントの小数第2位未満の端数が出たときは四捨五入すること。

採 点 欄

No.							
1		194, 557	÷	253	=	%	%
2		278, 168	÷	638	=	%	%
3		736, 670	÷	814	=	%	%
4		196, 418	÷	901	=	%	%
5		29, 484	÷	1, 092	=	%	%
No.1〜No.5 小 計 ① =						100 %	
6		428, 160	÷	480	=	%	%
7		66, 417	÷	39	=	%	%
8		402, 300	÷	745	=	%	%
9		374, 976	÷	576	=	%	%
10		240, 768	÷	627	=	%	%
No.6〜No.10 小 計 ② =						100 %	
(小計 ① + ②) 合 計 =							100 %
11	¥	107, 070	÷	830	=	%	%
12	¥	153, 564	÷	764	=	%	%
13	¥	481, 988	÷	598	=	%	%
14	¥	76, 875	÷	205	=	%	%
15	¥	296, 450	÷	847	=	%	%
No.11〜No.15 小 計 ③ =						100 %	
16	¥	493, 074	÷	621	=	%	%
17	¥	170, 368	÷	176	=	%	%
18	¥	154, 077	÷	319	=	%	%
19	¥	256, 614	÷	4, 502	=	%	%
20	¥	571, 206	÷	93	=	%	%
No.16〜No.20 小 計 ④ =						100 %	
(小計 ③ + ④) 合 計 =							100 %

4級

第4回　4級 見取算問題 (制限時間10分)

採　点　欄

【禁無断転載】

No.	(1)	(2)	(3)	(4)	(5)
1	¥ 5,062	¥ 1,947	¥ 821	¥ 2,706	¥ 63,207
2	60,213	48,032	7,586	71,098	765
3	856	−756	14,305	−621	4,276
4	7,948	−1,398	270	−5,947	31,042
5	91,607	−874	9,163	371	9,860
6	285	25,081	814	20,534	479
7	4,329	8,690	5,947	6,940	15,983
8	971	571	72,035	482	236
9	6,759	−4,123	8,796	89,516	3,157
10	32,470	−53,760	50,462	−679	86,304
11	164	649	628	−4,803	941
12	53,802	76,325	32,054	−32,537	1,825
13	413	203	149	5,218	20,498
14	89,137	80,159	96,301	93,084	5,089
15	4,085	2,964	3,798	−165	751
計					

No.	(6)	(7)	(8)	(9)	(10)
1	¥ 195	¥ 97,260	¥ 5,891	¥ 81,503	¥ 872
2	9,086	179	37,468	317	6,015
3	26,914	5,946	607	2,059	538
4	1,829	−41,083	78,145	56,901	31,640
5	603	−8,572	9,016	−7,246	237
6	50,432	−314	361	−862	65,409
7	7,815	2,607	87,102	4,385	3,961
8	267	539	6,093	92,670	754
9	8,573	30,751	582	7,438	92,406
10	14,730	6,418	3,245	984	8,593
11	346	54,890	14,970	−20,765	20,319
12	45,072	−681	2,759	−179	9,748
13	6,981	−7,926	523	−6,834	286
14	728	342	40,836	451	87,021
15	30,459	82,035	924	39,120	4,157
計					

第4回　　4級　複合算問題 (制限時間10分)

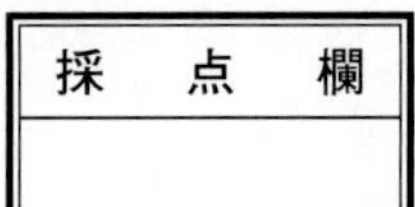

No.	
1	(521 − 346) × (4, 728 − 357) =
2	(3, 758, 025 − 5, 921) ÷ (6, 913 − 521) =
3	36, 954 ÷ 4, 106 + 3, 381, 748 ÷ 58, 306 =
4	(112 × 12, 656) ÷ (21, 112 ÷ 754) =
5	6, 041, 595 ÷ 815 + 426 × 5, 103 =
6	3, 083, 876 ÷ 67 − 279 × 53 =
7	6, 412, 644 ÷ 84 − 201, 756 ÷ 782 =
8	(4, 263 − 819) × (521 + 957) =
9	(2, 135 + 3, 728) × (623 + 789) =
10	(348 + 4, 926) × (3, 846 − 725) =
11	(2, 095, 607 + 1, 976, 834) ÷ (184 + 367) =
12	538 × 1, 907 − 104 × 31 =
13	(1, 237, 677 − 80, 715) ÷ (806 + 471) =
14	(1, 409, 825 + 49, 025) ÷ (816 − 653) =
15	581 × 3, 697 + 5, 012 × 248 =
16	5, 643 × 726 − 623, 960 ÷ 76 =
17	(238, 287 ÷ 49) × (299, 845 ÷ 3, 295) =
18	3, 978 × 451 + 296, 703 ÷ 8, 019 =
19	(16, 614, 400 ÷ 1, 888) ÷ (29, 584 ÷ 3, 698) =
20	(18, 252 × 4, 212) ÷ (26 × 54) =

第5回　4級 乗 算 問 題 (制限時間10分)

採 点 欄

(注意) パーセントの小数第2位未満の端数が出たときは四捨五入すること。

No.						
1	376	×	9, 037	=	%	%
2	2, 841	×	795	=	%	%
3	4, 159	×	380	=	%	%
4	6, 587	×	416	=	%	%
5	8, 074	×	621	=	%	%
No.1～No.5 小 計 ① =					100 %	
6	7, 460	×	508	=	%	%
7	9, 032	×	243	=	%	%
8	23, 195	×	89	=	%	%
9	1, 908	×	654	=	%	%
10	5, 623	×	172	=	%	%
No.6～No.10 小 計 ② =					100 %	
(小計 ① + ②) 合 計 =						100 %
11	¥ 8, 174	×	906	=	%	%
12	¥ 75, 318	×	62	=	%	%
13	¥ 4, 297	×	538	=	%	%
14	¥ 1, 830	×	429	=	%	%
15	¥ 9, 503	×	764	=	%	%
No.11～No.15 小 計 ③ =					100 %	
16	¥ 3, 942	×	870	=	%	%
17	¥ 6, 709	×	185	=	%	%
18	¥ 641	×	2, 053	=	%	%
19	¥ 5, 026	×	917	=	%	%
20	¥ 2, 685	×	341	=	%	%
No.16～No.20 小 計 ④ =					100 %	
(小計 ③ + ④) 合 計 =						100 %

第5回　4級 除 算 問 題 (制限時間10分)

【禁無断転載】

(注意) パーセントの小数第2位未満の端数が出たときは四捨五入すること。

採 点 欄

No.	問題						
1	114,885	÷	3,105	=		%	%
2	404,670	÷	987	=		%	%
3	663,872	÷	736	=		%	%
4	353,564	÷	628	=		%	%
5	126,684	÷	459	=		%	%
No.1〜No.5 小 計 ① =						100 %	
6	195,523	÷	23	=		%	%
7	370,239	÷	501	=		%	%
8	94,736	÷	764	=		%	%
9	189,120	÷	192	=		%	%
10	544,320	÷	840	=		%	%
No.6〜No.10 小 計 ② =						100 %	
(小計 ① + ②) 合 計 =							100 %
11	¥ 629,988	÷	6,702	=		%	%
12	¥ 104,932	÷	148	=		%	%
13	¥ 415,318	÷	739	=		%	%
14	¥ 107,900	÷	260	=		%	%
15	¥ 241,110	÷	893	=		%	%
No.11〜No.15 小 計 ③ =						100 %	
16	¥ 92,598	÷	506	=		%	%
17	¥ 197,820	÷	315	=		%	%
18	¥ 399,852	÷	87	=		%	%
19	¥ 287,154	÷	954	=		%	%
20	¥ 352,377	÷	421	=		%	%
No.16〜No.20 小 計 ④ =						100 %	
(小計 ③ + ④) 合 計 =							100 %

4級

第5回　4級 見取算問題 (制限時間10分)

採　点　欄

No.	(1)	(2)	(3)	(4)	(5)
1	¥ 1,492	¥ 20,394	¥ 9,260	¥ 8,096	¥ 632
2	32,504	571	57,086	735	2,074
3	148	9,742	713	39,120	96,450
4	7,921	36,014	4,392	681	187
5	69,380	473	83,629	82,579	−3,542
6	546	2,657	−705	6,042	−763
7	8,065	91,082	−67,519	514	25,904
8	75,213	508	−2,031	8,260	9,251
9	876	6,945	457	17,439	30,598
10	4,957	17,326	10,694	617	7,816
11	80,731	985	−8,243	5,873	−379
12	692	3,801	−628	20,496	−18,063
13	13,809	85,436	39,410	3,754	−4,781
14	267	720	1,587	41,982	695
15	4,035	1,869	458	305	41,820
計					

No.	(6)	(7)	(8)	(9)	(10)
1	¥ 67,180	¥ 1,974	¥ 435	¥ 45,076	¥ 73,290
2	539	28,509	74,092	845	6,501
3	1,795	−732	521	2,658	472
4	48,306	−1,806	8,247	80,719	7,154
5	621	645	13,064	436	90,638
6	9,287	39,458	453	7,592	125
7	83,074	764	5,109	−35,071	5,067
8	965	5,082	29,678	−1,467	39,684
9	4,738	96,321	791	−230	542
10	812	−4,835	64,508	6,918	28,913
11	90,246	−73,150	8,352	94,382	1,079
12	7,509	−619	30,916	−123	430
13	25,643	8,027	6,180	−9,805	84,316
14	1,350	176	273	397	789
15	421	20,943	7,689	10,264	8,265
計					

第5回　4級　複合算問題（制限時間10分）

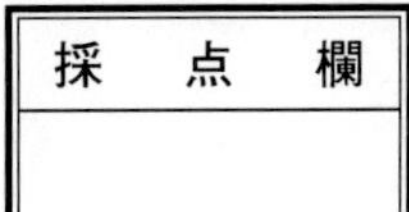

No.	
1	（4, 926, 706 − 4, 816）÷（5, 802 − 417）＝
2	（225 × 9, 100）÷（16, 075 ÷ 643）＝
3	55, 710 ÷ 3, 095 + 2, 175, 570 ÷ 47, 295 ＝
4	（419 − 235）×（3, 617 − 624）＝
5	2, 888, 512 ÷ 704 + 315 × 4, 092 ＝
6	2, 058, 717 ÷ 51 − 340, 494 ÷ 726 ＝
7	（2, 704 + 3, 125）×（813 + 491）＝
8	（5, 873 − 269）×（741 + 346）＝
9	2, 267, 537 ÷ 79 − 46 × 207 ＝
10	（419 + 5, 607）×（4, 629 − 723）＝
11	492 × 2, 716 − 213 × 42 ＝
12	（1, 665, 374 + 51, 976）÷（908 − 694）＝
13	（1, 241, 065 − 74, 641）÷（729 + 543）＝
14	（4, 966, 383 + 2, 019, 453）÷（219 + 548）＝
15	351 × 4, 782 + 9, 206 × 357 ＝
16	（1, 874, 161 ÷ 37）÷（178, 229 ÷ 4, 817）＝
17	（10, 077, 696 ÷ 1, 296）×（489, 240 ÷ 8, 154）＝
18	4, 089 × 562 + 492, 534 ÷ 9, 121 ＝
19	6, 754 × 837 − 3, 898, 925 ÷ 83 ＝
20	（14, 892 × 7, 446）÷（51 × 73）＝

第6回　4級 乗 算 問 題 (制限時間10分)

採 点 欄

【禁無断転載】

(注意) パーセントの小数第２位未満の端数が出たときは四捨五入すること。

No.							
1	3, 495	×	146	=		%	%
2	7, 204	×	350	=		%	%
3	9, 021	×	628	=		%	%
4	1, 867	×	809	=		%	%
5	81, 650	×	72	=		%	%
No.1～No.5 小 計 ① =						100 %	
6	473	×	9, 103	=		%	%
7	2, 349	×	481	=		%	%
8	5, 076	×	295	=		%	%
9	8, 392	×	764	=		%	%
10	6, 158	×	537	=		%	%
No.6～No.10 小 計 ② =						100 %	
(小計 ① + ②) 合 計 =							100 %
11	¥ 5, 189	×	843	=		%	%
12	¥ 79, 405	×	71	=		%	%
13	¥ 6, 324	×	305	=		%	%
14	¥ 3, 026	×	617	=		%	%
15	¥ 1, 568	×	490	=		%	%
No.11～No.15 小 計 ③ =						100 %	
16	¥ 940	×	1, 854	=		%	%
17	¥ 2, 107	×	526	=		%	%
18	¥ 4, 763	×	208	=		%	%
19	¥ 3, 852	×	739	=		%	%
20	¥ 8, 971	×	962	=		%	%
No.16～No.20 小 計 ④ =						100 %	
(小計 ③ + ④) 合 計 =							100 %

第6回　4級　除　算　問　題　(制限時間10分)

採　点　欄

【禁無断転載】

(注意) パーセントの小数第２位未満の端数が出たときは四捨五入すること。

No.						
1	533, 246	÷	6, 503	=	%	%
2	351, 396	÷	387	=	%	%
3	282, 510	÷	430	=	%	%
4	53, 244	÷	261	=	%	%
5	301, 305	÷	795	=	%	%
No.1～No.5　小　計 ① =					100　%	
6	229, 356	÷	276	=	%	%
7	483, 480	÷	948	=	%	%
8	50, 592	÷	102	=	%	%
9	118, 755	÷	819	=	%	%
10	411, 642	÷	54	=	%	%
No.6～No.10　小　計 ② =					100　%	
(小計 ① + ②) 合　計 =						100　%
11	¥ 173, 978	÷	301	=	%	%
12	¥ 621, 295	÷	907	=	%	%
13	¥ 379, 808	÷	52	=	%	%
14	¥ 66, 584	÷	164	=	%	%
15	¥ 101, 007	÷	783	=	%	%
No.11～No.15　小　計 ③ =					100　%	
16	¥ 218, 400	÷	240	=	%	%
17	¥ 43, 925	÷	175	=	%	%
18	¥ 330, 632	÷	8, 936	=	%	%
19	¥ 560, 176	÷	628	=	%	%
20	¥ 295, 137	÷	459	=	%	%
No.16～No.20　小　計 ④ =					100　%	
(小計 ③ + ④) 合　計 =						100　%

4級

第6回　　4級　見取算問題　（制限時間10分）

採　点　欄

【禁無断転載】

No.	(1)	(2)	(3)	(4)	(5)
1	¥　539	¥　719	¥　23, 516	¥　80, 276	¥　874
2	75, 602	60, 837	5, 704	4, 751	5, 016
3	1, 380	5, 401	275	815	257
4	975	73, 190	70, 982	13, 564	63, 780
5	6, 847	8, 246	3, 169	−389	4, 093
6	92, 056	20, 583	64, 037	−9, 042	37, 162
7	104	964	458	428	936
8	65, 421	−1, 308	2, 895	5, 710	6, 501
9	9, 134	−829	681	36, 904	895
10	718	−32, 176	46, 503	−1, 095	40, 179
11	50, 963	5, 092	9, 372	−643	8, 432
12	8, 027	365	148	−28, 537	96, 345
13	392	−7, 451	97, 310	9, 802	2, 914
14	4, 278	−974	896	376	50, 281
15	31, 846	48, 625	1, 024	76, 129	728
計					

No.	(6)	(7)	(8)	(9)	(10)
1	¥　923	¥　761	¥　1, 078	¥　619	¥　9, 015
2	4, 798	23, 806	65, 804	1, 862	47, 206
3	856	675	2, 739	76, 394	1, 547
4	6, 049	−9, 756	563	−487	725
5	23, 501	−189	9, 210	−5, 978	83, 406
6	8, 324	82, 930	392	−18, 025	169
7	782	4, 185	40, 519	204	60, 831
8	51, 498	65, 094	851	9, 136	8, 654
9	630	218	31, 428	83, 460	382
10	94, 071	7, 843	6, 084	−725	96, 073
11	5, 283	−35, 021	79, 632	−2, 956	829
12	61, 507	−1, 407	4, 965	40, 713	4, 510
13	9, 614	−932	347	7, 051	732
14	175	6, 574	87, 156	34, 809	9, 271
15	70, 362	90, 342	207	532	54, 398
計					

第6回　4級 複合算問題 （制限時間10分）

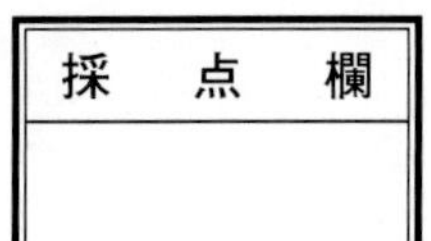

No.	
1	（5, 133, 082 − 5, 927）÷（6, 913 − 528）＝
2	58, 968 ÷ 2, 184 + 1, 050, 912 ÷ 58, 384 =
3	（308 − 124）×（2, 506 − 513）＝
4	（169 × 1, 352）÷（19, 604 ÷ 754）＝
5	5, 959, 280 ÷ 815 + 206 × 3, 181 =
6	5, 415, 505 ÷ 73 − 137, 945 ÷ 235 =
7	（3, 705 − 718）×（531 + 243）＝
8	1, 888, 480 ÷ 58 − 260 × 93 =
9	（2, 967 + 3, 180）×（234 + 576）＝
10	（184 + 2, 735）×（1, 792 − 651）＝
11	524 × 3, 617 − 974 × 28 =
12	（1, 133, 289 − 91, 205）÷（672 + 409）＝
13	（6, 497, 567 + 1, 295, 463）÷（824 + 317）＝
14	（2, 320, 967 + 67, 129）÷（591 − 207）＝
15	463 × 5, 028 + 7, 190 × 457 =
16	（730, 080 ÷ 156）×（289, 068 ÷ 3, 706）＝
17	3, 978 × 451 + 360, 765 ÷ 8, 017 =
18	5, 643 × 726 − 1, 826, 208 ÷ 72 =
19	（117, 321, 680 ÷ 2, 422）÷（493, 010 ÷ 7, 043）＝
20	（47, 616 × 5, 952）÷（48 × 62）＝

4級

第7回　4級 乗 算 問 題 (制限時間10分)

採点欄

【禁無断転載】

(注意) パーセントの小数第2位未満の端数が出たときは四捨五入すること。

No.							
1		5, 310	×	670	=	%	%
2		3, 695	×	489	=	%	%
3		726	×	8, 065	=	%	%
4		1, 548	×	527	=	%	%
5		6, 803	×	136	=	%	%
No.1〜No.5 小 計 ① =						100 %	
6		8, 402	×	394	=	%	%
7		91, 687	×	21	=	%	%
8		4, 379	×	703	=	%	%
9		2, 751	×	458	=	%	%
10		9, 024	×	912	=	%	%
No.6〜No.10 小 計 ② =						100 %	
(小計 ① + ②) 合 計 =							100 %
11	¥	8, 524	×	630	=	%	%
12	¥	7, 203	×	461	=	%	%
13	¥	91, 740	×	58	=	%	%
14	¥	3, 068	×	179	=	%	%
15	¥	2, 715	×	903	=	%	%
No.11〜No.15 小 計 ③ =						100 %	
16	¥	8, 946	×	315	=	%	%
17	¥	5, 089	×	742	=	%	%
18	¥	1, 632	×	854	=	%	%
19	¥	651	×	9, 287	=	%	%
20	¥	4, 397	×	206	=	%	%
No.16〜No.20 小 計 ④ =						100 %	
(小計 ③ + ④) 合 計 =							100 %

第7回　4級　除　算　問　題　(制限時間10分)

採　点　欄

【禁無断転載】

(注意) パーセントの小数第２位未満の端数が出たときは四捨五入すること。

No.	被除数		除数			
1	168, 312	÷	24	=	%	%
2	292, 842	÷	306	=	%	%
3	108, 000	÷	4, 320	=	%	%
4	528, 406	÷	613	=	%	%
5	307, 518	÷	958	=	%	%
No.1〜No.5　小　計 ① =					100　%	
6	42, 945	÷	105	=	%	%
7	372, 158	÷	587	=	%	%
8	481, 692	÷	879	=	%	%
9	147, 126	÷	791	=	%	%
10	507, 180	÷	642	=	%	%
No.6〜No.10　小　計 ② =					100　%	
(小計 ① + ②) 合　計 =						100　%
11	¥ 184, 920	÷	690	=	%	%
12	¥ 76, 300	÷	175	=	%	%
13	¥ 354, 844	÷	437	=	%	%
14	¥ 200, 694	÷	2, 158	=	%	%
15	¥ 105, 181	÷	983	=	%	%
No.11〜No.15　小　計 ③ =					100　%	
16	¥ 429, 195	÷	71	=	%	%
17	¥ 236, 778	÷	402	=	%	%
18	¥ 287, 560	÷	364	=	%	%
19	¥ 625, 066	÷	829	=	%	%
20	¥ 162, 426	÷	506	=	%	%
No.16〜No.20　小　計 ④ =					100　%	
(小計 ③ + ④) 合　計 =						100　%

第7回　4級 見取算問題 （制限時間10分）

採　点　欄

【禁無断転載】

No.	(1)	(2)	(3)	(4)	(5)
1	¥ 65, 038	¥ 5, 476	¥ 3, 026	¥ 9, 683	¥ 80, 631
2	714	80, 215	518	45, 069	178
3	2, 351	723	20, 941	721	9, 320
4	80, 265	63, 091	−357	9, 104	15, 487
5	417	569	−2, 143	10, 523	−612
6	96, 102	2, 685	43, 812	4, 817	−7, 895
7	593	346	628	238	−26, 703
8	3, 874	5, 801	8, 260	3, 952	9, 342
9	946	19, 743	973	57, 806	43, 069
10	7, 082	214	71, 406	748	814
11	53, 291	78, 039	−9, 035	6, 423	−7, 182
12	4, 639	9, 150	−879	296	−435
13	20, 178	48, 927	−15, 694	75, 041	5, 706
14	957	872	8, 765	360	259
15	8, 406	6, 403	97, 504	81, 975	50, 946
計					

No.	(6)	(7)	(8)	(9)	(10)
1	¥ 845	¥ 3, 658	¥ 62, 049	¥ 6, 082	¥ 738
2	1, 769	90, 742	513	943	2, 156
3	327	−5, 469	1, 756	48, 759	13, 920
4	90, 584	−923	823	3, 241	601
5	6, 021	52, 034	74, 165	87, 324	4, 589
6	873	−291	9, 680	−173	865
7	14, 952	−6, 583	302	−3, 510	39, 024
8	3, 540	718	93, 726	−896	6, 418
9	87, 269	40, 371	548	59, 068	372
10	693	−512	9, 487	2, 731	4, 691
11	5, 014	−37, 460	80, 971	674	90, 567
12	72, 138	−1, 896	6, 509	−90, 586	5, 743
13	915	687	41, 032	−2, 150	78, 290
14	60, 287	7, 905	5, 874	14, 907	145
15	3, 406	82, 140	231	265	87, 032
計					

第7回　4級 複 合 算 問 題 (制限時間10分)

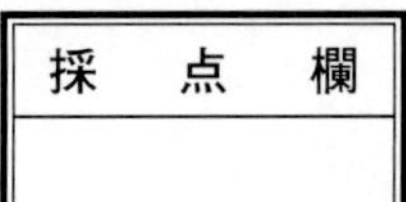

No.	
1	(328 − 124) × (4, 728 − 735) =
2	(5, 310, 941 − 5, 927) ÷ (8, 351 − 629) =
3	279, 208 ÷ 4, 106 + 4, 308, 912 ÷ 59, 846 =
4	(106 × 5, 830) ÷ (27, 984 ÷ 528) =
5	3, 339, 782 ÷ 491 + 426 × 8, 107 =
6	25, 401, 620 ÷ 61 − 591 × 78 =
7	1, 325, 401 ÷ 49 − 172, 774 ÷ 602 =
8	(4, 275 − 806) × (372 + 684) =
9	(3, 478 + 5, 096) × (479 + 352) =
10	(275 + 3, 745) × (2, 046 − 379) =
11	(177, 759 + 1, 728, 465) ÷ (716 + 492) =
12	683 × 2, 904 − 821 × 64 =
13	(1, 202, 386 − 82, 901) ÷ (391 + 846) =
14	(3, 698, 482 + 59, 273) ÷ (825 − 346) =
15	574 × 6, 139 + 8, 201 × 568 =
16	6, 754 × 839 − 702, 595 ÷ 83 =
17	(171, 414 ÷ 267) × (231, 216 ÷ 4, 817) =
18	4, 089 × 347 + 666, 344 ÷ 9, 128 =
19	(40, 516, 110 ÷ 1, 587) ÷ (187, 542 ÷ 8, 154) =
20	(78, 624 × 5, 616) ÷ (36 × 52) =

4級

第8回　4級 乗 算 問 題 (制限時間10分)

採　点　欄

【禁無断転載】

(注意) パーセントの小数第2位未満の端数が出たときは四捨五入すること。

No.							
1		7, 208	×	569	=	%	%
2		6, 513	×	750	=	%	%
3		40, 359	×	18	=	%	%
4		8, 172	×	902	=	%	%
5		3, 964	×	437	=	%	%
No.1～No.5 小 計 ① =						100 %	
6		6, 037	×	714	=	%	%
7		2, 895	×	306	=	%	%
8		541	×	6, 923	=	%	%
9		9, 720	×	285	=	%	%
10		1, 486	×	841	=	%	%
No.6～No.10 小 計 ② =						100 %	
(小計 ① + ②) 合 計 =							100 %
11	¥	5, 293	×	853	=	%	%
12	¥	1, 840	×	971	=	%	%
13	¥	761	×	3, 426	=	%	%
14	¥	4, 087	×	219	=	%	%
15	¥	9, 365	×	608	=	%	%
No.11～No.15 小 計 ③ =						100 %	
16	¥	35, 276	×	74	=	%	%
17	¥	8, 012	×	580	=	%	%
18	¥	4, 958	×	362	=	%	%
19	¥	2, 709	×	195	=	%	%
20	¥	6, 134	×	407	=	%	%
No.16～No.20 小 計 ④ =						100 %	
(小計 ③ + ④) 合 計 =							100 %

第8回　4級 除 算 問 題 (制限時間10分)

採　点　欄

【禁無断転載】

(注意) パーセントの小数第2位未満の端数が出たときは四捨五入すること。

No.							
1		570, 293	÷	6, 871	=	%	%
2		91, 560	÷	420	=	%	%
3		396, 772	÷	706	=	%	%
4		130, 062	÷	318	=	%	%
5		697, 374	÷	954	=	%	%
No.1～No.5　小　計 ① =						100　%	
6		184, 665	÷	947	=	%	%
7		399, 620	÷	53	=	%	%
8		42, 074	÷	109	=	%	%
9		796, 488	÷	862	=	%	%
10		142, 645	÷	235	=	%	%
No.6～No.10　小　計 ② =						100　%	
(小計 ① + ②) 合　計 =							100　%
11	¥	66, 912	÷	136	=	%	%
12	¥	148, 716	÷	972	=	%	%
13	¥	304, 827	÷	43	=	%	%
14	¥	220, 570	÷	805	=	%	%
15	¥	335, 915	÷	529	=	%	%
No.11～No.15　小　計 ③ =						100　%	
16	¥	454, 140	÷	841	=	%	%
17	¥	208, 556	÷	3, 067	=	%	%
18	¥	556, 818	÷	618	=	%	%
19	¥	92, 904	÷	294	=	%	%
20	¥	620, 250	÷	750	=	%	%
No.16～No.20　小　計 ④ =						100　%	
(小計 ③ + ④) 合　計 =							100　%

4級

第8回　4級 見取算問題 (制限時間10分)

採　点　欄

【禁無断転載】

No.	(1)	(2)	(3)	(4)	(5)
1	¥ 29,351	¥ 36,458	¥ 3,602	¥ 21,894	¥ 851
2	578	7,012	45,137	5,210	6,490
3	3,206	13,670	570	349	25,379
4	819	534	96,285	8,456	4,065
5	70,124	−981	8,761	72,901	13,742
6	935	−4,267	10,349	−9,063	513
7	1,687	81,749	623	−172	90,687
8	64,790	103	7,458	−46,385	294
9	5,063	50,826	294	7,531	7,806
10	248	2,594	59,102	806	31,928
11	46,512	−635	4,016	34,690	8,130
12	8,904	−3,470	985	−527	452
13	176	−95,281	81,760	−1,948	52,761
14	7,435	8,902	349	273	9,083
15	30,829	769	2,873	60,785	647
計					

No.	(6)	(7)	(8)	(9)	(10)
1	¥ 947	¥ 7,083	¥ 4,109	¥ 97,546	¥ 867
2	6,530	146	57,928	5,329	15,094
3	89,612	6,205	271	680	350
4	294	85,972	6,390	34,852	7,682
5	1,053	−24,851	81,463	107	94,736
6	37,486	−3,968	785	−2,913	6,271
7	4,375	−527	12,504	−765	20,943
8	768	60,194	3,948	48,201	519
9	2,801	832	68,012	6,378	8,467
10	90,527	−9,310	479	19,047	104
11	694	−746	5,730	3,690	3,095
12	13,250	42,605	856	−526	682
13	5,182	1,479	20,367	−70,184	49,351
14	78,063	381	123	−8,439	2,738
15	419	57,093	9,645	251	51,820
計					

第8回　4級 複合算問題 （制限時間10分）

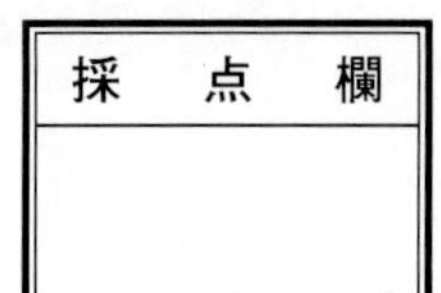

No.	
1	(71, 424 ÷ 384) × (761, 275 ÷ 925) =
2	(9, 208 − 7, 299) × (531 + 243) =
3	2, 546 × 6, 391 − 4, 635 × 3, 245 =
4	(69, 040 + 38, 120) ÷ (192 + 188) =
5	2, 054 × 523 + 231 × 9, 811 =
6	(51, 016 + 187, 683) ÷ (128 − 99) =
7	(5, 384 − 1, 241) × (1, 829 − 989) =
8	4, 351 × 817 − 923, 535 ÷ 135 =
9	(5, 104 × 76) ÷ (638 × 19) =
10	7, 251 × 726 + 263, 541 ÷ 321 =
11	(62, 825 − 26, 481) ÷ (1, 844 − 1, 726) =
12	(3, 899 + 4, 321) × (935 − 198) =
13	348, 002 ÷ 382 − 828, 320 ÷ 992 =
14	(810 × 4, 455) ÷ (219, 105 ÷ 541) =
15	318, 135 ÷ 381 + 327, 991 ÷ 761 =
16	(360, 017 − 150, 689) ÷ (524 + 64) =
17	(5, 722 + 3, 541) × (722 + 3, 691) =
18	946, 080 ÷ 4 − 10, 289 × 18 =
19	(175, 570 ÷ 194) ÷ (64, 255 ÷ 355) =
20	182, 880 ÷ 381 + 2, 835 × 1, 605 =

第9回　4級 乗 算 問 題 (制限時間10分)

【禁無断転載】

(注意) パーセントの小数第2位未満の端数が出たときは四捨五入すること。

採　点　欄

No.							
1		658	×	7,804	=	%	%
2		4,812	×	913	=	%	%
3		1,760	×	328	=	%	%
4		9,247	×	259	=	%	%
5		5,093	×	467	=	%	%
No.1～No.5　小　計 ① =						100　%	
6		3,461	×	670	=	%	%
7		5,324	×	801	=	%	%
8		83,079	×	35	=	%	%
9		2,986	×	142	=	%	%
10		7,105	×	596	=	%	%
No.6～No.10　小　計 ② =						100　%	
(小計 ① + ②) 合　計 =							100　%
11	¥	7,940	×	927	=	%	%
12	¥	5,361	×	701	=	%	%
13	¥	23,865	×	36	=	%	%
14	¥	4,028	×	659	=	%	%
15	¥	6,179	×	843	=	%	%
No.11～No.15　小　計 ③ =						100　%	
16	¥	4,783	×	570	=	%	%
17	¥	9,054	×	218	=	%	%
18	¥	1,206	×	432	=	%	%
19	¥	897	×	1,095	=	%	%
20	¥	3,512	×	864	=	%	%
No.16～No.20　小　計 ④ =						100　%	
(小計 ③ + ④) 合　計 =							100　%

第9回　4級 除 算 問 題 （制限時間10分）

採 点 欄

【禁無断転載】

（注意）パーセントの小数第２位未満の端数が出たときは四捨五入すること。

No.							
1	182, 490	÷	790	=		%	%
2	57, 024	÷	324	=		%	%
3	451, 620	÷	468	=		%	%
4	392, 677	÷	53	=		%	%
5	475, 494	÷	817	=		100 %	
No.1～No.5 小 計 ① =						100 %	
6	248, 626	÷	602	=		%	%
7	766, 700	÷	935	=		%	%
8	87, 822	÷	246	=		%	%
9	171, 612	÷	189	=		%	%
10	324, 544	÷	5, 071	=		%	%
No.6～No.10 小 計 ② =						100 %	
(小計 ① + ②) 合 計 =							100 %
11	¥ 96, 200	÷	296	=		%	%
12	¥ 349, 895	÷	3, 845	=		%	%
13	¥ 153, 080	÷	178	=		%	%
14	¥ 65, 728	÷	632	=		%	%
15	¥ 379, 758	÷	501	=		%	%
No.11～No.15 小 計 ③ =						100 %	
16	¥ 146, 740	÷	460	=		%	%
17	¥ 79, 089	÷	123	=		%	%
18	¥ 432, 912	÷	87	=		%	%
19	¥ 381, 018	÷	759	=		%	%
20	¥ 259, 448	÷	904	=		%	%
No.16～No.20 小 計 ④ =						100 %	
(小計 ③ + ④) 合 計 =							100 %

第9回　4級 見取算問題（制限時間10分）

採　点　欄

【禁無断転載】

No.	(1)	(2)	(3)	(4)	(5)
1	¥ 97, 643	¥ 890	¥ 6, 807	¥ 45, 796	¥ 563
2	5, 106	67, 134	30, 492	3, 278	49, 207
3	89, 721	1, 275	179	165	352
4	2, 350	54, 063	2, 314	28, 340	1, 846
5	487	−2, 549	548	7, 029	95, 028
6	50, 976	−327	19, 762	614	8, 410
7	149	−43, 718	4, 930	−910	736
8	36, 291	8, 509	615	−1, 432	57, 169
9	807	326	3, 857	89, 605	2, 971
10	4, 352	9, 085	87, 209	357	304
11	68, 025	70, 413	930	−56, 723	83, 529
12	1, 564	−691	21, 543	−896	6, 890
13	738	−5, 860	5, 026	−4, 587	187
14	3, 410	26, 984	468	90, 138	20, 745
15	289	172	78, 651	2, 041	4, 613
計					

No.	(6)	(7)	(8)	(9)	(10)
1	¥ 495	¥ 41, 057	¥ 29, 507	¥ 8, 509	¥ 3, 678
2	7, 806	9, 162	438	34, 180	709
3	25, 910	519	14, 069	672	49, 317
4	348	70, 486	5, 812	12, 965	1, 826
5	1, 279	8, 230	673	−431	24, 095
6	83, 065	372	47, 986	−5, 246	564
7	913	−294	3, 140	−26, 590	70, 832
8	4, 638	−5, 381	725	923	8, 410
9	72, 451	64, 758	8, 509	1, 037	926
10	6, 802	903	261	43, 651	12, 753
11	174	−3, 526	52, 718	−718	3, 540
12	30, 527	−870	1, 350	−9, 873	691
13	8, 739	−96, 147	987	206	46, 189
14	246	4, 925	30, 694	50, 784	5, 307
15	59, 160	10, 836	6, 432	7, 948	258
計					

全国経理教育協会主催／電卓計算能力検定試験準拠
電卓計算問題集
3･4級 解答編
DENTAQUEST

第1回　4級

4級　乗　算			
1	1,915,662	12.50％	6.97％
2	4,334,514	28.28％	15.78％
3	1,298,700	8.47％	4.73％
4	4,435,965	28.94％	16.15％
5	3,344,222	21.82％	12.18％
小計①=	15,329,063	100％	
6	7,292,545	60.09％	26.55％
7	1,326,996	10.93％	4.83％
8	370,668	3.05％	1.35％
9	1,555,398	12.82％	5.66％
10	1,590,720	13.11％	5.79％
小計②=	12,136,327	100％	
合計 =	27,465,390		100％
11 ¥	5,357,011	27.82％	18.76％
12 ¥	3,016,875	15.67％	10.56％
13 ¥	1,269,940	6.60％	4.45％
14 ¥	697,872	3.62％	2.44％
15 ¥	8,912,182	46.29％	31.21％
小計③= ¥	19,253,880	100％	
16 ¥	950,176	10.21％	3.33％
17 ¥	4,283,304	46.03％	15.00％
18 ¥	1,448,028	15.56％	5.07％
19 ¥	1,457,580	15.66％	5.10％
20 ¥	1,166,532	12.54％	4.08％
小計④= ¥	9,305,620	100％	
合計 = ¥	28,559,500		100％

4級　除　算			
1	786	15.00％	10.46％
2	3,540	67.56％	47.11％
3	571	10.90％	7.60％
4	104	1.98％	1.38％
5	239	4.56％	3.18％
小計①=	5,240	100％	
6	92	4.04％	1.22％
7	218	9.58％	2.90％
8	463	20.35％	6.16％
9	697	30.64％	9.27％
10	805	35.38％	10.71％
小計②=	2,275	100％	
合計 =	7,515		100％
11 ¥	7,610	80.00％	62.87％
12 ¥	274	2.88％	2.26％
13 ¥	596	6.27％	4.92％
14 ¥	408	4.29％	3.37％
15 ¥	625	6.57％	5.16％
小計③= ¥	9,513	100％	
16 ¥	982	37.89％	8.11％
17 ¥	13	0.50％	0.11％
18 ¥	801	30.90％	6.62％
19 ¥	357	13.77％	2.95％
20 ¥	439	16.94％	3.63％
小計④= ¥	2,592	100％	
合計 = ¥	12,105		100％

4級　複　合　算	
1	1,040,918
2	643
3	159
4	6,237
5	469,714
6	140,029
7	47,578
8	4,312,872
9	7,796,593
10	4,824,366
11	964
12	2,417,735
13	987
14	7,631
15	5,614,708
16	5,156,770
17	264,500
18	1,072,957
19	6,006
20	178,704

4級　見　取　算	
1 ¥	247,572
2 ¥	345,384
3 ¥	251,471
4 ¥	306,936
5 ¥	186,756
6 ¥	262,602
7 ¥	167,739
8 ¥	342,729
9 ¥	217,041
10 ¥	301,455

第2回　4級

4級　乗　算			
1	3,230,472	22.57％	13.64％
2	2,069,613	14.46％	8.74％
3	1,648,908	11.52％	6.96％
4	5,398,050	37.72％	22.79％
5	1,965,145	13.73％	8.30％
小計①=	14,312,188	100％	
6	1,312,400	13.99％	5.54％
7	3,194,345	34.06％	13.48％
8	996,954	10.63％	4.21％
9	2,274,663	24.25％	9.60％
10	1,599,896	17.06％	6.75％
小計②=	9,378,258	100％	
合計 =	23,690,446		100％
11 ¥	2,167,114	21.26％	7.55％
12 ¥	3,939,408	38.65％	13.72％
13 ¥	1,922,616	18.86％	6.69％
14 ¥	631,750	6.20％	2.20％
15 ¥	1,531,062	15.02％	5.33％
小計③= ¥	10,191,950	100％	
16 ¥	1,926,435	10.40％	6.71％
17 ¥	2,756,299	14.87％	9.60％
18 ¥	4,436,522	23.94％	15.45％
19 ¥	7,333,164	39.57％	25.53％
20 ¥	2,077,880	11.21％	7.23％
小計④= ¥	18,530,300	100％	
合計 = ¥	28,722,250		100％

4級　除　算			
1	806	29.82％	9.68％
2	53	1.96％	0.64％
3	734	27.16％	8.82％
4	498	18.42％	5.98％
5	612	22.64％	7.35％
小計①=	2,703	100％	
6	859	15.28％	10.32％
7	165	2.93％	1.98％
8	3,470	61.72％	41.68％
9	207	3.68％	2.49％
10	921	16.38％	11.06％
小計②=	5,622	100％	
合計 =	8,325		100％
11 ¥	720	20.26％	11.68％
12 ¥	209	5.88％	3.39％
13 ¥	516	14.52％	8.37％
14 ¥	347	9.76％	5.63％
15 ¥	1,762	49.58％	28.58％
小計③= ¥	3,554	100％	
16 ¥	895	34.28％	14.52％
17 ¥	634	24.28％	10.28％
18 ¥	408	15.63％	6.62％
19 ¥	581	22.25％	9.42％
20 ¥	93	3.56％	1.51％
小計④= ¥	2,611	100％	
合計 = ¥	6,165		100％

4級　複　合　算	
1	871
2	10,857
3	126
4	2,892,214
5	747,857
6	73,511
7	8,278,556
8	4,391,100
9	37,581
10	4,841,532
11	3,340,974
12	8,016
13	67
14	107
15	8,183,090
16	256,592
17	1,112
18	1,308,776
19	422,173
20	222,750

4級　見　取　算	
1 ¥	327,681
2 ¥	53,884
3 ¥	267,633
4 ¥	131,630
5 ¥	246,501
6 ¥	381,096
7 ¥	222,272
8 ¥	281,070
9 ¥	168,398
10 ¥	381,267

第3回　4級

4級	乗	算		
1		1,073,842	10.49％	3.43％
2		419,584	4.10％	1.34％
3		4,915,635	48.02％	15.68％
4		803,850	7.85％	2.56％
5		3,023,856	29.54％	9.65％
小計①=		10,236,767	100％	
6		4,883,066	23.14％	15.58％
7		5,094,076	24.14％	16.25％
8		1,519,957	7.20％	4.85％
9		1,181,628	5.60％	3.77％
10		8,426,250	39.93％	26.89％
小計②=		21,104,977	100％	
合計 =		31,341,744		100％
11	¥	1,048,905	9.45％	3.86％
12	¥	1,823,124	16.42％	6.72％
13	¥	2,668,539	24.03％	9.83％
14	¥	4,312,180	38.83％	15.88％
15	¥	1,252,512	11.28％	4.61％
小計③= ¥		11,105,260	100％	
16	¥	3,030,636	18.89％	11.16％
17	¥	7,422,440	46.26％	27.34％
18	¥	755,876	4.71％	2.78％
19	¥	1,476,018	9.20％	5.44％
20	¥	3,358,555	20.93％	12.37％
小計④= ¥		16,043,525	100％	
合計 = ¥		27,148,785		100％

4級	除	算		
1		794	12.59％	9.03％
2		380	6.03％	4.32％
3		602	9.55％	6.84％
4		4,351	69.00％	49.47％
5		179	2.84％	2.04％
小計①=		6,306	100％	
6		25	1.00％	0.28％
7		163	6.55％	1.85％
8		947	38.05％	10.77％
9		548	22.02％	6.23％
10		806	32.38％	9.16％
小計②=		2,489	100％	
合計 =		8,795		100％
11	¥	672	16.65％	10.73％
12	¥	157	3.89％	2.51％
13	¥	814	20.16％	12.99％
14	¥	305	7.56％	4.87％
15	¥	2,089	51.75％	33.35％
小計③= ¥		4,037	100％	
16	¥	409	18.37％	6.53％
17	¥	268	12.03％	4.28％
18	¥	73	3.28％	1.17％
19	¥	536	24.07％	8.56％
20	¥	941	42.25％	15.02％
小計④= ¥		2,227	100％	
合計 = ¥		6,264		100％

4級	複合算
1	357
2	152
3	1,994,706
4	1,188
5	599,022
6	25,521
7	2,595,528
8	17,809
9	4,332,790
10	7,771,736
11	1,700,437
12	978
13	684
14	5,702
15	7,744,367
16	761,682
17	999,674
18	597,507
19	1,032
20	46,512

4級	見	取算
1	¥	301,716
2	¥	349,407
3	¥	220,785
4	¥	372,654
5	¥	153,899
6	¥	313,623
7	¥	171,035
8	¥	312,084
9	¥	164,024
10	¥	281,700

解答

第4回　4級

4級	乗	算		
1		4,257,440	25.09％	13.32％
2		1,949,662	11.49％	6.10％
3		607,545	3.58％	1.90％
4		4,278,904	25.22％	13.39％
5		5,872,395	34.61％	18.38％
小計①=		16,965,946	100％	
6		4,753,784	31.71％	14.88％
7		2,172,071	14.49％	6.80％
8		474,008	3.16％	1.48％
9		2,089,711	13.94％	6.54％
10		5,502,240	36.70％	17.22％
小計②=		14,991,814	100％	
合計 =		31,957,760		100％
11	¥	6,666,104	37.70％	24.44％
12	¥	4,516,579	25.54％	16.56％
13	¥	374,670	2.12％	1.37％
14	¥	1,051,087	5.94％	3.85％
15	¥	5,075,875	28.70％	18.61％
小計③= ¥		17,684,315	100％	
16	¥	3,623,650	37.77％	13.28％
17	¥	2,081,730	21.70％	7.63％
18	¥	478,976	4.99％	1.76％
19	¥	1,272,668	13.27％	4.67％
20	¥	2,136,342	22.27％	7.83％
小計④= ¥		9,593,366	100％	
合計 = ¥		27,277,681		100％

4級	除	算		
1		769	32.65％	11.79％
2		436	18.51％	6.68％
3		905	38.43％	13.87％
4		218	9.26％	3.34％
5		27	1.15％	0.41％
小計①=		2,355	100％	
6		892	21.39％	13.67％
7		1,703	40.84％	26.10％
8		540	12.95％	8.28％
9		651	15.61％	9.98％
10		384	9.21％	5.89％
小計②=		4,170	100％	
合計 =		6,525		100％
11	¥	129	6.93％	1.25％
12	¥	201	10.80％	1.95％
13	¥	806	43.31％	7.82％
14	¥	375	20.15％	3.64％
15	¥	350	18.81％	3.40％
小計③= ¥		1,861	100％	
16	¥	794	9.40％	7.70％
17	¥	968	11.46％	9.39％
18	¥	483	5.72％	4.69％
19	¥	57	0.68％	0.55％
20	¥	6,142	72.74％	59.60％
小計④= ¥		8,444	100％	
合計 = ¥		10,305		100％

4級	複合算
1	764,925
2	587
3	67
4	50,624
5	2,181,291
6	31,241
7	76,083
8	5,090,232
9	8,278,556
10	16,460,154
11	7,391
12	1,022,742
13	906
14	8,950
15	3,390,933
16	4,088,608
17	442,533
18	1,794,115
19	1,100
20	54,756

4級	見	取算
1	¥	358,101
2	¥	183,710
3	¥	303,129
4	¥	245,197
5	¥	244,413
6	¥	204,030
7	¥	222,391
8	¥	288,522
9	¥	249,942
10	¥	331,956

第5回　4級

4級　乗　算				
1		3,397,912	22.67%	13.45%
2		2,258,595	15.07%	8.94%
3		1,580,420	10.54%	6.26%
4		2,740,192	18.28%	10.85%
5		5,013,954	33.45%	19.85%
小計①=		14,991,073	100%	
6		3,789,680	36.92%	15.01%
7		2,194,776	21.38%	8.69%
8		2,064,355	20.11%	8.17%
9		1,247,832	12.16%	4.94%
10		967,156	9.42%	3.83%
小計②=		10,263,799	100%	
合計 =		25,254,872		100%
11	¥	7,405,644	33.01%	21.82%
12	¥	4,669,716	20.82%	13.76%
13	¥	2,311,786	10.31%	6.81%
14	¥	785,070	3.50%	2.31%
15	¥	7,260,292	32.37%	21.39%
小計③= ¥		22,432,508	100%	
16	¥	3,429,540	29.79%	10.10%
17	¥	1,241,165	10.78%	3.66%
18	¥	1,315,973	11.43%	3.88%
19	¥	4,608,842	40.04%	13.58%
20	¥	915,585	7.95%	2.70%
小計④= ¥		11,511,105	100%	
合計 = ¥		33,943,613		100%

4級　除　算				
1		37	1.69%	0.28%
2		410	18.74%	3.11%
3		902	41.22%	6.84%
4		563	25.73%	4.27%
5		276	12.61%	2.09%
小計①=		2,188	100%	
6		8,501	77.30%	64.47%
7		739	6.72%	5.60%
8		124	1.13%	0.94%
9		985	8.96%	7.47%
10		648	5.89%	4.91%
小計②=		10,997	100%	
合計 =		13,185		100%
11	¥	94	4.59%	1.09%
12	¥	709	34.59%	8.25%
13	¥	562	27.41%	6.54%
14	¥	415	20.24%	4.83%
15	¥	270	13.17%	3.14%
小計③= ¥		2,050	100%	
16	¥	183	2.80%	2.13%
17	¥	628	9.60%	7.31%
18	¥	4,596	70.22%	53.47%
19	¥	301	4.60%	3.50%
20	¥	837	12.79%	9.74%
小計④= ¥		6,545	100%	
合計 = ¥		8,595		100%

4級　複　合　算	
1	914
2	81,900
3	64
4	550,712
5	1,293,083
6	39,898
7	7,601,016
8	6,091,548
9	19,181
10	23,537,556
11	1,327,326
12	8,025
13	917
14	9,108
15	4,965,024
16	1,369
17	466,560
18	2,298,072
19	5,606,123
20	29,784

4級　見　取　算		
1	¥	300,636
2	¥	278,523
3	¥	128,560
4	¥	236,493
5	¥	187,899
6	¥	342,486
7	¥	120,757
8	¥	250,308
9	¥	202,591
10	¥	347,265

第6回　4級

4級　乗　算				
1		510,270	3.17%	1.56%
2		2,521,400	15.67%	7.70%
3		5,665,188	35.22%	17.30%
4		1,510,403	9.39%	4.61%
5		5,878,800	36.55%	17.96%
小計①=		16,086,061	100%	
6		4,305,719	25.86%	13.15%
7		1,129,869	6.79%	3.45%
8		1,497,420	8.99%	4.57%
9		6,411,488	38.50%	19.58%
10		3,306,846	19.86%	10.10%
小計②=		16,651,342	100%	
合計 =		32,737,403		100%
11	¥	4,374,327	30.01%	14.63%
12	¥	5,637,755	38.68%	18.86%
13	¥	1,928,820	13.23%	6.45%
14	¥	1,867,042	12.81%	6.25%
15	¥	768,320	5.27%	2.57%
小計③= ¥		14,576,264	100%	
16	¥	1,742,760	11.38%	5.83%
17	¥	1,108,282	7.23%	3.71%
18	¥	990,704	6.47%	3.31%
19	¥	2,846,628	18.58%	9.52%
20	¥	8,630,102	56.34%	28.87%
小計④= ¥		15,318,476	100%	
合計 = ¥		29,894,740		100%

4級　除　算				
1		82	3.68%	0.69%
2		908	40.72%	7.67%
3		657	29.46%	5.55%
4		204	9.15%	1.72%
5		379	17.00%	3.20%
小計①=		2,230	100%	
6		831	8.65%	7.02%
7		510	5.31%	4.31%
8		496	5.16%	4.19%
9		145	1.51%	1.23%
10		7,623	79.36%	64.41%
小計②=		9,605	100%	
合計 =		11,835		100%
11	¥	578	6.35%	4.88%
12	¥	685	7.53%	5.79%
13	¥	7,304	80.25%	61.72%
14	¥	406	4.46%	3.43%
15	¥	129	1.42%	1.09%
小計③= ¥		9,102	100%	
16	¥	910	33.30%	7.69%
17	¥	251	9.18%	2.12%
18	¥	37	1.35%	0.31%
19	¥	892	32.64%	7.54%
20	¥	643	23.53%	5.43%
小計④= ¥		2,733	100%	
合計 = ¥		11,835		100%

4級　複　合　算	
1	803
2	45
3	366,712
4	8,788
5	662,598
6	73,598
7	2,311,938
8	8,380
9	4,979,070
10	3,330,579
11	1,868,036
12	964
13	6,830
14	6,219
15	5,613,794
16	365,040
17	1,794,123
18	4,071,454
19	692
20	95,232

4級　見　取　算		
1	¥	348,282
2	¥	181,284
3	¥	326,970
4	¥	189,049
5	¥	318,393
6	¥	338,373
7	¥	235,123
8	¥	330,975
9	¥	226,609
10	¥	377,748

第7回　4級

4級	乗	算	
1	3,557,700	27.45%	11.56%
2	1,806,855	13.94%	5.87%
3	5,855,190	45.18%	19.03%
4	815,796	6.29%	2.65%
5	925,208	7.14%	3.01%
小計①=	12,960,749	100%	
6	3,310,388	18.59%	10.76%
7	1,925,427	10.81%	6.26%
8	3,078,437	17.29%	10.01%
9	1,259,958	7.08%	4.10%
10	8,229,888	46.22%	26.75%
小計②=	17,804,098	100%	
合計 =	30,764,847		100%
11 ¥	5,370,120	31.57%	16.81%
12 ¥	3,320,583	19.52%	10.39%
13 ¥	5,320,920	31.28%	16.65%
14 ¥	549,172	3.23%	1.72%
15 ¥	2,451,645	14.41%	7.67%
小計③= ¥	17,012,440	100%	
16 ¥	2,817,990	18.86%	8.82%
17 ¥	3,776,038	25.28%	11.82%
18 ¥	1,393,728	9.33%	4.36%
19 ¥	6,045,837	40.47%	18.92%
20 ¥	905,782	6.06%	2.83%
小計④= ¥	14,939,375	100%	
合計 = ¥	31,951,815		100%

4級	除	算	
1	7,013	76.41%	59.71%
2	957	10.43%	8.15%
3	25	0.27%	0.21%
4	862	9.39%	7.34%
5	321	3.50%	2.73%
小計①=	9,178	100%	
6	409	15.93%	3.48%
7	634	24.70%	5.40%
8	548	21.35%	4.67%
9	186	7.25%	1.58%
10	790	30.78%	6.73%
小計②=	2,567	100%	
合計 =	11,745		100%
11 ¥	268	15.62%	2.62%
12 ¥	436	25.41%	4.27%
13 ¥	812	47.32%	7.95%
14 ¥	93	5.42%	0.91%
15 ¥	107	6.24%	1.05%
小計③= ¥	1,716	100%	
16 ¥	6,045	71.13%	59.18%
17 ¥	589	6.93%	5.77%
18 ¥	790	9.30%	7.73%
19 ¥	754	8.87%	7.38%
20 ¥	321	3.78%	3.14%
小計④= ¥	8,499	100%	
合計 = ¥	10,215		100%

4級	複 合 算
1	814,572
2	687
3	140
4	11,660
5	3,460,384
6	370,322
7	26,762
8	3,663,264
9	7,124,994
10	6,701,340
11	1,578
12	1,930,888
13	905
14	7,845
15	8,181,954
16	5,658,141
17	30,816
18	1,418,956
19	1,110
20	235,872

4級	見 取 算	
1	¥	344,853
2	¥	322,254
3	¥	227,725
4	¥	306,756
5	¥	172,925
6	¥	348,633
7	¥	225,121
8	¥	387,666
9	¥	126,679
10	¥	335,151

第8回　4級

4級	乗	算	
1	4,101,352	21.80%	12.91%
2	4,884,750	25.96%	15.37%
3	726,462	3.86%	2.29%
4	7,371,144	39.17%	23.20%
5	1,732,268	9.21%	5.45%
小計①=	18,815,976	100%	
6	4,310,418	33.26%	13.56%
7	885,870	6.83%	2.79%
8	3,745,343	28.90%	11.79%
9	2,770,200	21.37%	8.72%
10	1,249,726	9.64%	3.93%
小計②=	12,961,557	100%	
合計 =	31,777,533		100%
11 ¥	4,514,929	29.13%	16.37%
12 ¥	1,786,640	11.53%	6.48%
13 ¥	2,607,186	16.82%	9.45%
14 ¥	895,053	5.78%	3.25%
15 ¥	5,693,920	36.74%	20.65%
小計③= ¥	15,497,728	100%	
16 ¥	2,610,424	21.61%	9.47%
17 ¥	4,646,960	38.48%	16.85%
18 ¥	1,794,796	14.86%	6.51%
19 ¥	528,255	4.37%	1.92%
20 ¥	2,496,538	20.67%	9.05%
小計④= ¥	12,076,973	100%	
合計 = ¥	27,574,701		100%

4級	除	算	
1	83	4.14%	0.71%
2	218	10.88%	1.87%
3	562	28.06%	4.82%
4	409	20.42%	3.51%
5	731	36.50%	6.27%
小計①=	2,003	100%	
6	195	2.02%	1.67%
7	7,540	78.12%	64.69%
8	386	4.00%	3.31%
9	924	9.57%	7.93%
10	607	6.29%	5.21%
小計②=	9,652	100%	
合計 =	11,655		100%
11 ¥	492	5.69%	4.36%
12 ¥	153	1.77%	1.35%
13 ¥	7,089	82.02%	62.76%
14 ¥	274	3.17%	2.43%
15 ¥	635	7.35%	5.62%
小計③= ¥	8,643	100%	
16 ¥	540	20.36%	4.78%
17 ¥	68	2.56%	0.60%
18 ¥	901	33.97%	7.98%
19 ¥	316	11.92%	2.80%
20 ¥	827	31.18%	7.32%
小計④= ¥	2,652	100%	
合計 = ¥	11,295		100%

4級	複 合 算
1	153,078
2	1,477,566
3	1,230,911
4	282
5	3,340,583
6	8,231
7	3,480,120
8	3,547,926
9	32
10	5,265,047
11	308
12	6,058,140
13	76
14	8,910
15	1,266
16	356
17	40,877,619
18	51,318
19	5
20	4,550,655

4級	見 取 算	
1	¥	270,657
2	¥	97,983
3	¥	322,164
4	¥	154,800
5	¥	252,828
6	¥	332,001
7	¥	222,588
8	¥	272,610
9	¥	133,254
10	¥	262,719

第9回　4級

4級　乗　算			
1	5,135,032	34.51%	17.69%
2	4,393,356	29.53%	15.13%
3	577,280	3.88%	1.99%
4	2,394,973	16.10%	8.25%
5	2,378,431	15.99%	8.19%
小計①=	14,879,072	100%	
6	2,318,870	16.39%	7.99%
7	4,264,524	30.14%	14.69%
8	2,907,765	20.55%	10.02%
9	424,012	3.00%	1.46%
10	4,234,580	29.93%	14.59%
小計②=	14,149,751	100%	
合計 =	29,028,823		100%
11 ¥	7,360,380	37.10%	25.31%
12 ¥	3,758,061	18.94%	12.92%
13 ¥	859,140	4.33%	2.95%
14 ¥	2,654,452	13.38%	9.13%
15 ¥	5,208,897	26.25%	17.91%
小計③= ¥	19,840,930	100%	
16 ¥	2,726,310	29.51%	9.38%
17 ¥	1,973,772	21.37%	6.79%
18 ¥	520,992	5.64%	1.79%
19 ¥	982,215	10.63%	3.38%
20 ¥	3,034,368	32.85%	10.44%
小計④= ¥	9,237,657	100%	
合計 = ¥	29,078,587		100%

4級　除　算			
1	231	2.47%	1.94%
2	176	1.88%	1.48%
3	965	10.31%	8.09%
4	7,409	79.13%	62.13%
5	582	6.22%	4.88%
小計①=	9,363	100%	
6	413	16.12%	3.46%
7	820	32.01%	6.88%
8	357	13.93%	2.99%
9	908	35.44%	7.61%
10	64	2.50%	0.54%
小計②=	2,562	100%	
合計 =	11,925		100%
11 ¥	325	15.20%	3.67%
12 ¥	91	4.26%	1.03%
13 ¥	860	40.22%	9.70%
14 ¥	104	4.86%	1.17%
15 ¥	758	35.45%	8.55%
小計③= ¥	2,138	100%	
16 ¥	319	4.74%	3.60%
17 ¥	643	9.56%	7.25%
18 ¥	4,976	73.97%	56.13%
19 ¥	502	7.46%	5.66%
20 ¥	287	4.27%	3.24%
小計④= ¥	6,727	100%	
合計 = ¥	8,865		100%

4級　複　合　算	
1	352
2	20,600,170
3	56,550
4	142,515,631
5	6
6	6,476,539
7	7,511
8	2,529,923
9	703,991
10	7,258
11	2,444,222
12	211
13	1,475
14	70
15	27
16	283
17	1,777,002
18	6,282,300
19	3,559,018
20	266,976

4級　見　取　算	
1	¥ 361,908
2	¥ 185,706
3	¥ 263,331
4	¥ 202,815
5	¥ 332,550
6	¥ 302,553
7	¥ 105,030
8	¥ 203,301
9	¥ 118,017
10	¥ 229,095

第10回　4級

4級　乗　算			
1	1,419,385	10.86%	4.52%
2	1,520,820	11.64%	4.84%
3	495,114	3.79%	1.58%
4	7,559,652	57.85%	24.08%
5	2,073,399	15.87%	6.60%
小計①=	13,068,370	100%	
6	3,152,908	17.20%	10.04%
7	899,140	4.90%	2.86%
8	6,213,228	33.89%	19.79%
9	4,920,480	26.84%	15.67%
10	3,145,556	17.16%	10.02%
小計②=	18,331,312	100%	
合計 =	31,399,682		100%
11 ¥	2,929,269	22.46%	9.70%
12 ¥	1,331,441	10.21%	4.41%
13 ¥	1,436,200	11.01%	4.75%
14 ¥	966,656	7.41%	3.20%
15 ¥	6,376,008	48.90%	21.11%
小計③= ¥	13,039,574	100%	
16 ¥	3,026,724	17.63%	10.02%
17 ¥	6,637,680	38.66%	21.97%
18 ¥	386,055	2.25%	1.28%
19 ¥	2,253,979	13.13%	7.46%
20 ¥	4,866,280	28.34%	16.11%
小計④= ¥	17,170,718	100%	
合計 = ¥	30,210,292		100%

4級　除　算			
1	69	3.45%	0.90%
2	804	40.16%	10.45%
3	230	11.49%	2.99%
4	153	7.64%	1.99%
5	746	37.26%	9.69%
小計①=	2,002	100%	
6	681	11.96%	8.85%
7	3,097	54.40%	40.25%
8	425	7.47%	5.52%
9	918	16.13%	11.93%
10	572	10.05%	7.43%
小計②=	5,693	100%	
合計 =	7,695		100%
11 ¥	279	3.41%	2.76%
12 ¥	365	4.46%	3.60%
13 ¥	6,187	75.58%	61.11%
14 ¥	903	11.03%	8.92%
15 ¥	452	5.52%	4.46%
小計③= ¥	8,186	100%	
16 ¥	308	15.88%	3.04%
17 ¥	821	42.34%	8.11%
18 ¥	546	28.16%	5.39%
19 ¥	190	9.80%	1.88%
20 ¥	74	3.82%	0.73%
小計④= ¥	1,939	100%	
合計 = ¥	10,125		100%

4級　複　合　算	
1	90,062
2	17,218,945
3	661
4	1,196,250
5	399,105
6	545
7	390
8	2,992,150
9	183
10	14
11	3,367,652
12	3,454,620
13	6,278,920
14	2,841
15	9,828
16	1,962,252
17	1,896,648
18	458
19	26,110,591
20	4

4級　見　取　算	
1	¥ 334,575
2	¥ 95,401
3	¥ 282,609
4	¥ 174,924
5	¥ 289,611
6	¥ 262,818
7	¥ 142,047
8	¥ 358,020
9	¥ 108,072
10	¥ 272,583

第1回　3級

3級　乗　算			
1	739,886	5.34％	5.34％
2	7,180,800	51.81％	51.80％
3	2,414,962	17.43％	17.42％
4	2,328,051	16.80％	16.79％
5	1,195,250	8.62％	8.62％
小計①＝	13,858,949	100％	
6	0.931	0.03％	0.00％
7	2,817.168	75.80％	0.02％
8	4.355	0.12％	0.00％
9	894.322	24.06％	0.01％
10	0.032	0.00％	0.00％
小計②＝	3,716.808	100％	
合計＝	13,862,665.808		100％
11	￥ 1,882,597	13.49％	13.13％
12	￥ 3,156,447	22.61％	22.01％
13	￥ 587,328	4.21％	4.10％
14	￥ 4,772,112	34.18％	33.28％
15	￥ 3,561,396	25.51％	24.84％
小計③＝￥	13,959,880	100％	
16	￥ 5,885	1.55％	0.04％
17	￥ 344,442	90.66％	2.40％
18	￥ 26,736	7.04％	0.19％
19	￥ 140	0.04％	0.00％
20	￥ 2,716	0.71％	0.02％
小計④＝￥	379,919	100％	
合計＝￥	14,339,799		100％

3級　除　算			
1	451	23.42％	23.33％
2	294	15.26％	15.21％
3	72	3.74％	3.72％
4	960	49.84％	49.66％
5	149	7.74％	7.71％
小計①＝	1,926	100％	
6	6.293	86.10％	0.33％
7	0.087	1.19％	0.00％
8	0.536	7.33％	0.03％
9	0.018	0.25％	0.00％
10	0.375	5.13％	0.02％
小計②＝	7.309	100％	
合計＝	1,933.309		100％
11	￥ 3,061	54.28％	41.23％
12	￥ 826	14.65％	11.12％
13	￥ 187	3.32％	2.52％
14	￥ 973	17.25％	13.10％
15	￥ 592	10.50％	7.97％
小計③＝￥	5,639	100％	
16	￥ 65	3.64％	0.88％
17	￥ 419	23.46％	5.64％
18	￥ 350	19.60％	4.71％
19	￥ 704	39.42％	9.48％
20	￥ 248	13.89％	3.34％
小計④＝￥	1,786	100％	
合計＝￥	7,425		100％

3級　複　合　算	
1	246,897
2	4,589
3	1,508,272
4	8,653,831
5	670
6	704,694
7	16,390,836
8	97
9	741
10	208
11	45,197
12	21,742,676
13	4,366
14	845,667
15	717
16	9,577
17	1,749,321
18	1,833
19	11,288,331
20	2,788,320

3級　見　取　算	
1	￥ 2,624,166
2	￥ 2,673,225
3	￥ 1,130,260
4	￥ 2,820,663
5	￥ 1,137,237
6	￥ 2,275,308
7	￥ 1,344,476
8	￥ 2,368,629
9	￥ 809,171
10	￥ 2,391,246

第2回　3級

3級　乗　算			
1	3,253,220	19.52％	19.52％
2	1,767,376	10.61％	10.60％
3	6,144,730	36.88％	36.87％
4	1,512,483	9.08％	9.08％
5	3,984,214	23.91％	23.91％
小計①＝	16,662,023	100％	
6	0.895	0.02％	0.00％
7	2,312.112	59.08％	0.01％
8	0.063	0.00％	0.00％
9	0.735	0.02％	0.00％
10	1,599.558	40.87％	0.01％
小計②＝	3,913.363	100％	
合計＝	16,665,936.363		100％
11	￥ 2,034,000	14.40％	14.08％
12	￥ 922,284	6.53％	6.39％
13	￥ 2,501,653	17.71％	17.32％
14	￥ 4,228,336	29.93％	29.28％
15	￥ 4,443,256	31.45％	30.76％
小計③＝￥	14,129,529	100％	
16	￥ 240,198	76.68％	1.66％
17	￥ 3,503	1.12％	0.02％
18	￥ 35,355	11.29％	0.24％
19	￥ 34,109	10.89％	0.24％
20	￥ 65	0.02％	0.00％
小計④＝￥	313,230	100％	
合計＝￥	14,442,759		100％

3級　除　算			
1	468	17.54％	17.49％
2	51	1.91％	1.91％
3	950	35.61％	35.49％
4	327	12.26％	12.22％
5	872	32.68％	32.58％
小計①＝	2,668	100％	
6	0.615	7.20％	0.02％
7	0.093	1.09％	0.00％
8	0.186	2.18％	0.01％
9	7.409	86.79％	0.28％
10	0.234	2.74％	0.01％
小計②＝	8.537	100％	
合計＝	2,676.537		100％
11	￥ 139	2.05％	1.45％
12	￥ 812	11.99％	8.47％
13	￥ 476	7.03％	4.97％
14	￥ 5,061	74.70％	52.80％
15	￥ 287	4.24％	2.99％
小計③＝￥	6,775	100％	
16	￥ 650	23.13％	6.78％
17	￥ 728	25.91％	7.60％
18	￥ 904	32.17％	9.43％
19	￥ 35	1.25％	0.37％
20	￥ 493	17.54％	5.14％
小計④＝￥	2,810	100％	
合計＝￥	9,585		100％

3級　複　合　算	
1	6,029
2	9,503,064
3	738,862
4	632,729
5	938
6	52,359,186
7	837
8	67
9	1,461,207
10	137
11	28,522,572
12	423
13	7,579
14	43,835
15	1,249,155
16	1,633,892
17	82,998
18	478,169,500
19	26,819
20	39,608,954

3級　見　取　算	
1	￥ 1,880,568
2	￥ 1,126,992
3	￥ 1,887,921
4	￥ 1,505,203
5	￥ 1,979,568
6	￥ 2,322,207
7	￥ 1,444,754
8	￥ 2,394,450
9	￥ 1,010,302
10	￥ 2,194,389

第3回　3級

3級　乗　算			
1	4,724,720	28.54%	28.53%
2	3,507,306	21.18%	21.18%
3	1,676,268	10.12%	10.12%
4	543,220	3.28%	3.28%
5	6,104,243	36.87%	36.86%
小計①=	16,555,757	100%	
6	3,254.328	66.22%	0.02%
7	1,588.587	32.32%	0.01%
8	5.925	0.12%	0.00%
9	0.061	0.00%	0.00%
10	65.604	1.33%	0.00%
小計②=	4,914.505	100%	
合計 =	16,560,671.505		100%
11 ¥	3,139,584	16.22%	16.11%
12 ¥	4,517,959	23.34%	23.18%
13 ¥	6,122,060	31.63%	31.40%
14 ¥	1,721,917	8.90%	8.83%
15 ¥	3,855,432	19.92%	19.78%
小計③= ¥	19,356,952	100%	
16 ¥	78	0.06%	0.00%
17 ¥	921	0.67%	0.00%
18 ¥	115,608	84.31%	0.59%
19 ¥	3,552	2.59%	0.02%
20 ¥	16,965	12.37%	0.09%
小計④= ¥	137,124	100%	
合計 = ¥	19,494,076		100%

3級　除　算			
1	160	7.14%	7.12%
2	26	1.16%	1.16%
3	785	35.03%	34.92%
4	391	17.45%	17.39%
5	879	39.22%	39.10%
小計①=	2,241	100%	
6	0.654	9.02%	0.03%
7	0.043	0.59%	0.00%
8	5.218	71.93%	0.23%
9	0.437	6.02%	0.02%
10	0.902	12.43%	0.04%
小計②=	7.254	100%	
合計 =	2,248.254		100%
11 ¥	32	0.42%	0.32%
12 ¥	813	10.62%	8.03%
13 ¥	679	8.87%	6.71%
14 ¥	5,431	70.97%	53.64%
15 ¥	698	9.12%	6.89%
小計③= ¥	7,653	100%	
16 ¥	250	10.11%	2.47%
17 ¥	706	28.56%	6.97%
18 ¥	125	5.06%	1.23%
19 ¥	984	39.81%	9.72%
20 ¥	407	16.46%	4.02%
小計④= ¥	2,472	100%	
合計 = ¥	10,125		100%

3級　複　合　算	
1	8,754
2	1,999,900
3	205,495
4	10,487,502
5	693
6	15,095,872
7	81
8	1,167,603
9	468
10	194
11	34,263,060
12	6,894
13	65,182
14	1,471,708
15	18,091,005
16	2,236,835
17	66,772,450
18	65,152
19	155,124
20	30,162,522

3級　見　取　算	
1 ¥	3,419,343
2 ¥	2,789,622
3 ¥	651,705
4 ¥	2,055,843
5 ¥	1,721,509
6 ¥	2,862,693
7 ¥	974,565
8 ¥	2,101,707
9 ¥	1,527,229
10 ¥	1,500,417

第4回　3級

3級　乗　算			
1	3,746,749	29.46%	29.45%
2	3,480,040	27.36%	27.35%
3	1,707,520	13.42%	13.42%
4	801,588	6.30%	6.30%
5	2,983,643	23.46%	23.45%
小計①=	12,719,540	100%	
6	2,953.884	59.55%	0.02%
7	0.435	0.01%	0.00%
8	187.928	3.79%	0.00%
9	0.067	0.00%	0.00%
10	1,818.113	36.65%	0.01%
小計②=	4,960.427	100%	
合計 =	12,724,500.427		100%
11 ¥	1,280,201	9.15%	8.71%
12 ¥	1,852,312	13.23%	12.60%
13 ¥	3,409,384	24.36%	23.19%
14 ¥	3,964,609	28.33%	26.97%
15 ¥	3,490,304	24.94%	23.74%
小計③= ¥	13,996,810	100%	
16 ¥	746	0.11%	0.01%
17 ¥	655,394	93.08%	4.46%
18 ¥	396	0.06%	0.00%
19 ¥	46,795	6.65%	0.32%
20 ¥	769	0.11%	0.01%
小計④= ¥	704,100	100%	
合計 = ¥	14,700,910		100%

3級　除　算			
1	250	9.44%	9.41%
2	591	22.32%	22.25%
3	964	36.40%	36.30%
4	38	1.44%	1.43%
5	805	30.40%	30.31%
小計①=	2,648	100%	
6	0.082	1.06%	0.00%
7	6.349	81.95%	0.24%
8	0.127	1.64%	0.00%
9	0.476	6.14%	0.02%
10	0.713	9.20%	0.03%
小計②=	7.747	100%	
合計 =	2,655.747		100%
11 ¥	97	4.93%	1.53%
12 ¥	169	8.59%	2.66%
13 ¥	702	35.69%	11.06%
14 ¥	426	21.66%	6.71%
15 ¥	573	29.13%	9.03%
小計③= ¥	1,967	100%	
16 ¥	608	13.89%	9.58%
17 ¥	345	7.88%	5.44%
18 ¥	891	20.35%	14.04%
19 ¥	184	4.20%	2.90%
20 ¥	2,350	53.68%	37.04%
小計④= ¥	4,378	100%	
合計 = ¥	6,345		100%

3級　複　合　算	
1	172,632
2	4,259
3	4,122,869
4	7,722,006
5	1,212
6	1,461,591
7	79,747,500
8	76
9	786
10	138
11	66,063
12	14,518,300
13	5,717
14	596,796
15	1,001
16	59,800
17	826,877
18	35,821,564
19	75,320
20	3,092,760

3級　見　取　算	
1 ¥	2,405,691
2 ¥	1,034,427
3 ¥	2,580,894
4 ¥	1,765,529
5 ¥	2,041,299
6 ¥	2,432,844
7 ¥	1,441,239
8 ¥	2,633,562
9 ¥	1,331,232
10 ¥	2,492,028

第5回　3級

3級　乗　算			
1	4,655,988	37.17%	37.15%
2	1,372,280	10.95%	10.95%
3	1,856,949	14.82%	14.82%
4	1,422,650	11.36%	11.35%
5	3,218,758	25.70%	25.68%
小計①=	12,526,625	100%	
6	0.395	0.01%	0.00%
7	1,153.665	18.33%	0.01%
8	5,137.664	81.64%	0.04%
9	0.592	0.01%	0.00%
10	1.071	0.02%	0.00%
小計②=	6,293.387	100%	
合計 =	12,532,918.387		100%
11 ¥	2,830,806	19.01%	18.05%
12 ¥	2,930,078	19.68%	18.68%
13 ¥	425,352	2.86%	2.71%
14 ¥	1,023,562	6.87%	6.53%
15 ¥	7,679,112	51.58%	48.96%
小計③= ¥	14,888,910	100%	
16 ¥	776,649	97.68%	4.95%
17 ¥	9,175	1.15%	0.06%
18 ¥	4,047	0.51%	0.03%
19 ¥	4,928	0.62%	0.03%
20 ¥	277	0.03%	0.00%
小計④= ¥	795,076	100%	
合計 = ¥	15,683,986		100%

3級　除　算			
1	128	6.30%	6.29%
2	830	40.87%	40.77%
3	562	27.67%	27.61%
4	417	20.53%	20.48%
5	94	4.63%	4.62%
小計①=	2,031	100%	
6	2.603	55.69%	0.13%
7	0.356	7.62%	0.02%
8	0.091	1.95%	0.00%
9	0.875	18.72%	0.04%
10	0.749	16.02%	0.04%
小計②=	4.674	100%	
合計 =	2,035.674		100%
11 ¥	1,609	37.10%	25.00%
12 ¥	981	22.62%	15.24%
13 ¥	847	19.53%	13.16%
14 ¥	392	9.04%	6.09%
15 ¥	508	11.71%	7.89%
小計③= ¥	4,337	100%	
16 ¥	736	35.08%	11.44%
17 ¥	450	21.45%	6.99%
18 ¥	213	10.15%	3.31%
19 ¥	625	29.79%	9.71%
20 ¥	74	3.53%	1.15%
小計④= ¥	2,098	100%	
合計 = ¥	6,435		100%

3級　複　合　算	
1	6,904
2	5,004,612
3	3,250,486
4	90,614
5	1,212
6	106,100,368
7	493
8	210
9	2,424,042
10	831
11	22,359,888
12	1,121,026
13	7,942
14	55,550
15	741
16	1,014,642
17	1,420,965
18	5,440,880
19	40,771
20	1,173,000

3級　見　取　算	
1	¥ 2,765,133
2	¥ 2,062,431
3	¥ 1,175,474
4	¥ 2,217,240
5	¥ 1,165,807
6	¥ 2,784,132
7	¥ 1,673,187
8	¥ 2,682,513
9	¥ 1,967,766
10	¥ 1,646,226

第6回　3級

3級　乗　算			
1	4,486,698	27.35%	27.34%
2	1,558,708	9.50%	9.50%
3	5,119,660	31.21%	31.19%
4	1,905,327	11.61%	11.61%
5	3,335,430	20.33%	20.32%
小計①=	16,405,823	100%	
6	2,235.224	32.95%	0.01%
7	0.169	0.00%	0.00%
8	16.250	0.24%	0.00%
9	0.116	0.00%	0.00%
10	4,532.814	66.81%	0.03%
小計②=	6,784.573	100%	
合計 =	16,412,607.573		100%
11 ¥	5,954,037	34.35%	34.01%
12 ¥	5,439,339	31.38%	31.07%
13 ¥	3,535,818	20.40%	20.20%
14 ¥	573,903	3.31%	3.28%
15 ¥	1,830,964	10.56%	10.46%
小計③= ¥	17,334,061	100%	
16 ¥	160	0.09%	0.00%
17 ¥	3,072	1.77%	0.02%
18 ¥	15,502	8.94%	0.09%
19 ¥	38,792	22.38%	0.22%
20 ¥	115,784	66.81%	0.66%
小計④= ¥	173,310	100%	
合計 = ¥	17,507,371		100%

3級　除　算			
1	124	9.42%	9.35%
2	219	16.64%	16.52%
3	95	7.22%	7.17%
4	530	40.27%	39.97%
5	348	26.44%	26.25%
小計①=	1,316	100%	
6	0.067	0.68%	0.01%
7	0.456	4.61%	0.03%
8	0.671	6.79%	0.05%
9	7.802	78.90%	0.59%
10	0.893	9.03%	0.07%
小計②=	9.889	100%	
合計 =	1,325.889		100%
11 ¥	619	7.98%	6.52%
12 ¥	937	12.08%	9.87%
13 ¥	273	3.52%	2.88%
14 ¥	5,086	65.57%	53.57%
15 ¥	842	10.85%	8.87%
小計③= ¥	7,757	100%	
16 ¥	95	5.47%	1.00%
17 ¥	368	21.17%	3.88%
18 ¥	721	41.48%	7.59%
19 ¥	450	25.89%	4.74%
20 ¥	104	5.98%	1.10%
小計④= ¥	1,738	100%	
合計 = ¥	9,495		100%

3級　複　合　算	
1	4,591
2	4,080,760
3	102,942
4	1,271
5	7,025,200
6	210,090,496
7	64
8	1,481,930
9	349
10	154
11	10,511,340
12	4,161
13	27,895
14	1,301,266
15	542
16	750,869
17	25,607,575
18	23,917
19	1,457,065
20	631,780

3級　見　取　算	
1	¥ 2,222,235
2	¥ 1,982,205
3	¥ 2,273,778
4	¥ 1,655,070
5	¥ 2,751,282
6	¥ 2,766,978
7	¥ 1,211,330
8	¥ 2,003,796
9	¥ 817,920
10	¥ 2,173,986

第7回　3級

	3級　乗　算		
1	1,995,237	15.48%	15.48%
2	1,578,750	12.25%	12.25%
3	7,348,846	57.03%	57.01%
4	1,159,110	9.00%	8.99%
5	803,152	6.23%	6.23%
小計①=	12,885,095	100%	
6	594.063	11.45%	0.00%
7	1.728	0.03%	0.00%
8	4.477	0.09%	0.00%
9	4,586.168	88.43%	0.04%
10	0.064	0.00%	0.00%
小計②=	5,186.500	100%	
合計 =	12,890,281.500		100%
11 ¥	5,949,018	34.93%	34.63%
12 ¥	4,482,633	26.32%	26.09%
13 ¥	2,656,980	15.60%	15.47%
14 ¥	634,233	3.72%	3.69%
15 ¥	3,306,636	19.42%	19.25%
小計③= ¥	17,029,500	100%	
16 ¥	57,330	38.15%	0.33%
17 ¥	53,305	35.48%	0.31%
18 ¥	36,001	23.96%	0.21%
19 ¥	134	0.09%	0.00%
20 ¥	3,489	2.32%	0.02%
小計④= ¥	150,259	100%	
合計 = ¥	17,179,759		100%

	3級　除　算		
1	182	10.64%	10.61%
2	438	25.61%	25.53%
3	51	2.98%	2.97%
4	749	43.80%	43.66%
5	290	16.96%	16.90%
小計①=	1,710	100%	
6	3.164	56.25%	0.18%
7	0.675	12.00%	0.04%
8	0.803	14.28%	0.05%
9	0.057	1.01%	0.00%
10	0.926	16.46%	0.05%
小計②=	5.625	100%	
合計 =	1,715.625		100%
11 ¥	2,931	61.52%	42.05%
12 ¥	582	12.22%	8.35%
13 ¥	678	14.23%	9.73%
14 ¥	106	2.23%	1.52%
15 ¥	467	9.80%	6.70%
小計③= ¥	4,764	100%	
16 ¥	750	33.98%	10.76%
17 ¥	304	13.77%	4.36%
18 ¥	943	42.73%	13.53%
19 ¥	85	3.85%	1.22%
20 ¥	125	5.66%	1.79%
小計④= ¥	2,207	100%	
合計 = ¥	6,971		100%

	3級　複　合　算
1	6,038
2	3,990,931
3	4,762,128
4	156,208
5	945
6	3,156,840
7	813
8	64
9	1,833,687
10	242
11	11,061,492
12	1,221,845
13	9,028
14	60,958
15	455
16	1,325,216
17	1,411,943
18	53,688,570
19	44,259
20	1,396,176

	3級　見　取　算
1	¥ 2,657,925
2	¥ 2,484,414
3	¥ 1,528,492
4	¥ 2,191,653
5	¥ 1,726,782
6	¥ 2,067,345
7	¥ 1,405,676
8	¥ 3,020,895
9	¥ 748,060
10	¥ 2,423,682

第8回　3級

	3級　乗　算		
1	4,235,972	29.45%	29.43%
2	3,136,602	21.81%	21.80%
3	2,222,740	15.45%	15.45%
4	3,643,491	25.33%	25.32%
5	1,145,150	7.96%	7.96%
小計①=	14,383,955	100%	
6	0.111	0.00%	0.00%
7	3,441.954	48.82%	0.02%
8	0.572	0.01%	0.00%
9	0.360	0.01%	0.00%
10	3,606.576	51.16%	0.03%
小計②=	7,049.573	100%	
合計 =	14,391,004.573		100%
11 ¥	2,168,550	15.95%	15.71%
12 ¥	1,552,754	11.42%	11.25%
13 ¥	1,201,956	8.84%	8.71%
14 ¥	4,348,416	31.98%	31.51%
15 ¥	4,324,803	31.81%	31.34%
小計③= ¥	13,596,479	100%	
16 ¥	29,991	14.69%	0.22%
17 ¥	161,814	79.28%	1.17%
18 ¥	9,675	4.74%	0.07%
19 ¥	587	0.29%	0.00%
20 ¥	2,025	0.99%	0.01%
小計④= ¥	204,092	100%	
合計 = ¥	13,800,571		100%

	3級　除　算		
1	435	21.52%	21.48%
2	68	3.36%	3.36%
3	397	19.64%	19.61%
4	920	45.52%	45.43%
5	201	9.95%	9.93%
小計①=	2,021	100%	
6	1.654	42.69%	0.08%
7	0.879	22.69%	0.04%
8	0.086	2.22%	0.00%
9	0.743	19.18%	0.04%
10	0.512	13.22%	0.03%
小計②=	3.874	100%	
合計 =	2,024.874		100%
11 ¥	702	35.69%	11.06%
12 ¥	169	8.59%	2.66%
13 ¥	573	29.13%	9.03%
14 ¥	97	4.93%	1.53%
15 ¥	426	21.66%	6.71%
小計③= ¥	1,967	100%	
16 ¥	345	7.88%	5.44%
17 ¥	2,350	53.68%	37.04%
18 ¥	608	13.89%	9.58%
19 ¥	184	4.20%	2.90%
20 ¥	891	20.35%	14.04%
小計④= ¥	4,378	100%	
合計 = ¥	6,345		100%

	3級　複　合　算
1	727,947
2	434,720
3	68
4	−379,161
5	124
6	2,513,103
7	5,538
8	461,570
9	9,000
10	5,081
11	3,294,906
12	78
13	599,760
14	12,013
15	92
16	524
17	108
18	8,518,678
19	715
20	518

	3級　見　取　算
1	¥ 2,625,147
2	¥ 2,397,465
3	¥ 805,578
4	¥ 1,863,918
5	¥ 664,425
6	¥ 1,707,597
7	¥ 1,935,580
8	¥ 2,285,244
9	¥ 1,397,783
10	¥ 3,049,182

第9回　3級

3級　乗　算			
1	764,962	6.61％	6.61％
2	532,932	4.60％	4.60％
3	942,480	8.14％	8.14％
4	2,488,290	21.50％	21.49％
5	6,847,123	59.15％	59.12％
小計①=	11,575,787	100％	
6	2,197.206	43.93％	0.02％
7	0.536	0.01％	0.00％
8	2,802.324	56.03％	0.02％
9	0.605	0.01％	0.00％
10	0.707	0.01％	0.00％
小計②=	5,001.378	100％	
合計 =	11,580,788.378		100％
11 ¥	746,937	4.31％	4.25％
12 ¥	3,422,406	19.76％	19.46％
13 ¥	6,619,640	38.22％	37.64％
14 ¥	4,687,137	27.06％	26.65％
15 ¥	1,844,196	10.65％	10.49％
小計③= ¥	17,320,316	100％	
16 ¥	8,288	3.11％	0.05％
17 ¥	71,557	26.84％	0.41％
18 ¥	105	0.04％	0.00％
19 ¥	4,408	1.65％	0.03％
20 ¥	182,229	68.36％	1.04％
小計④= ¥	266,587	100％	
合計 = ¥	17,586,903		100％

3級　除　算			
1	602	24.15％	24.05％
2	547	21.94％	21.85％
3	75	3.01％	3.00％
4	816	32.73％	32.59％
5	453	18.17％	18.09％
小計①=	2,493	100％	
6	0.380	3.58％	0.02％
7	9.721	91.69％	0.39％
8	0.234	2.21％	0.01％
9	0.169	1.59％	0.01％
10	0.098	0.92％	0.00％
小計②=	10.602	100％	
合計 =	2,503.602		100％
11 ¥	306	12.69％	5.04％
12 ¥	963	39.94％	15.85％
13 ¥	84	3.48％	1.38％
14 ¥	451	18.71％	7.42％
15 ¥	607	25.18％	9.99％
小計③= ¥	2,411	100％	
16 ¥	590	16.10％	9.71％
17 ¥	875	23.88％	14.40％
18 ¥	1,248	34.06％	20.54％
19 ¥	239	6.52％	3.93％
20 ¥	712	19.43％	11.72％
小計④= ¥	3,664	100％	
合計 = ¥	6,075		100％

3級　複　合　算	
1	8,559,336
2	54
3	583
4	3,007
5	2,173,714
6	492
7	5,618
8	128
9	366,987
10	3,689
11	12
12	469,974
13	99
14	2,640,826
15	228,480
16	36
17	－342,158
18	835
19	11,408
20	467,250

3級　見　取　算		
1	¥	2,623,905
2	¥	2,111,355
3	¥	1,239,408
4	¥	2,805,957
5	¥	1,359,100
6	¥	1,799,352
7	¥	1,871,615
8	¥	2,293,488
9	¥	1,293,000
10	¥	2,109,168

解答

第10回　3級

3級　乗　算			
1	867,776	4.66％	4.66％
2	2,065,020	11.09％	11.08％
3	6,290,040	33.77％	33.76％
4	3,566,541	19.15％	19.14％
5	5,839,083	31.34％	31.34％
小計①=	18,628,460	100％	
6	3.588	0.14％	0.00％
7	1,496.734	60.24％	0.01％
8	0.140	0.01％	0.00％
9	1.625	0.07％	0.00％
10	982.332	39.54％	0.01％
小計②=	2,484.419	100％	
合計 =	18,630,944.419		100％
11 ¥	5,753,448	31.21％	30.88％
12 ¥	1,666,692	9.04％	8.95％
13 ¥	7,560,420	41.01％	40.58％
14 ¥	964,782	5.23％	5.18％
15 ¥	2,490,162	13.51％	13.36％
小計③= ¥	18,435,504	100％	
16 ¥	461	0.23％	0.00％
17 ¥	2,728	1.38％	0.01％
18 ¥	9,672	4.91％	0.05％
19 ¥	183,929	93.32％	0.99％
20 ¥	296	0.15％	0.00％
小計④= ¥	197,086	100％	
合計 = ¥	18,632,590		100％

3級　除　算			
1	620	31.81％	31.64％
2	731	37.51％	37.31％
3	396	20.32％	20.21％
4	108	5.54％	5.51％
5	94	4.82％	4.80％
小計①=	1,949	100％	
6	0.817	7.84％	0.04％
7	8.549	82.00％	0.44％
8	0.025	0.24％	0.00％
9	0.473	4.54％	0.02％
10	0.562	5.39％	0.03％
小計②=	10.426	100％	
合計 =	1,959.426		100％
11 ¥	493	18.17％	4.07％
12 ¥	631	23.25％	5.21％
13 ¥	157	5.78％	1.30％
14 ¥	509	18.75％	4.20％
15 ¥	924	34.05％	7.63％
小計③= ¥	2,714	100％	
16 ¥	78	0.83％	0.64％
17 ¥	375	3.99％	3.10％
18 ¥	216	2.30％	1.78％
19 ¥	8,042	85.64％	66.44％
20 ¥	680	7.24％	5.62％
小計④= ¥	9,391	100％	
合計 = ¥	12,105		100％

3級　複　合　算	
1	477
2	2,684
3	711,256
4	915
5	48
6	482,160
7	709,735
8	139
9	11,805
10	87
11	1,707
12	6,073
13	92
14	4,648,968
15	68,585
16	426,365
17	82
18	2,727,711
19	283
20	5,547,588

3級　見　取　算		
1	¥	1,931,283
2	¥	2,227,527
3	¥	1,658,950
4	¥	998,455
5	¥	1,953,153
6	¥	2,055,717
7	¥	2,432,790
8	¥	1,481,486
9	¥	998,259
10	¥	1,839,483

3
7
5
EIKOSHA

第9回　4級 複合算問題 (制限時間10分)

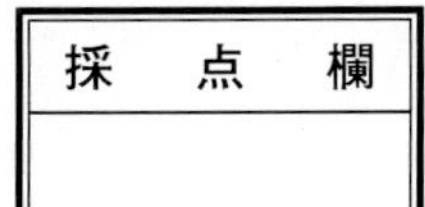

No.	
1	(96, 304 + 52, 240) ÷ (185 + 237) =
2	(4, 536 + 2, 782) × (431 + 2, 384) =
3	936, 990 ÷ 3 − 21, 315 × 12 =
4	473, 652 ÷ 892 + 78, 305 × 1, 820 =
5	(646, 932 ÷ 286) ÷ (71, 253 ÷ 189) =
6	(5, 631 + 3, 608) × (982 − 281) =
7	(59, 157 + 241, 283) ÷ (127 − 87) =
8	8, 211 × 308 + 762, 025 ÷ 815 =
9	2, 783 × 254 − 696, 731 ÷ 241 =
10	(382 × 7, 258) ÷ (47, 368 ÷ 124) =
11	(9, 201 − 3, 899) × (1, 235 − 774) =
12	(74, 048 − 32, 481) ÷ (1, 635 − 1, 438) =
13	595, 000 ÷ 625 + 430, 429 ÷ 823 =
14	242, 985 ÷ 291 − 654, 840 ÷ 856 =
15	(4, 347 × 96) ÷ (483 × 32) =
16	(824, 351 − 608, 705) ÷ (734 + 28) =
17	(8, 399 − 6, 281) × (457 + 382) =
18	4, 635 × 6, 002 − 3, 822 × 5, 635 =
19	1, 286 × 307 + 451 × 7, 016 =
20	(76, 140 ÷ 235) × (316, 416 ÷ 384) =

第10回　4級 乗 算 問 題 (制限時間10分)

採 点 欄

【禁無断転載】

(注意) パーセントの小数第2位未満の端数が出たときは四捨五入すること。

No.							
1	7, 205	×	197	=		%	%
2	639	×	2, 380	=		%	%
3	1, 074	×	461	=		%	%
4	9, 426	×	802	=		%	%
5	3, 581	×	579	=		%	%
No.1〜No.5 小 計 ① =						100 %	
6	6, 017	×	524	=		%	%
7	2, 948	×	305	=		%	%
8	81, 753	×	76	=		%	%
9	5, 360	×	918	=		%	%
10	4, 892	×	643	=		%	%
No.6〜No.10 小 計 ② =						100 %	
(小計 ① + ②) 合 計 =							100 %
11	¥ 59, 781	×	49	=		%	%
12	¥ 2, 647	×	503	=		%	%
13	¥ 8, 350	×	172	=		%	%
14	¥ 4, 096	×	236	=		%	%
15	¥ 7, 132	×	894	=		%	%
No.11〜No.15 小 計 ③ =						100 %	
16	¥ 9, 518	×	318	=		%	%
17	¥ 7, 024	×	945	=		%	%
18	¥ 1, 865	×	207	=		%	%
19	¥ 329	×	6, 851	=		%	%
20	¥ 6, 403	×	760	=		%	%
No.16〜No.20 小 計 ④ =						100 %	
(小計 ③ + ④) 合 計 =							100 %

第10回　4級 除 算 問 題 (制限時間10分)

採 点 欄

【禁無断転載】

(注意) パーセントの小数第２位未満の端数が出たときは四捨五入すること。

No.						
1	150, 765	÷	2, 185	=	%	%
2	602, 196	÷	749	=	%	%
3	93, 610	÷	407	=	%	%
4	147, 033	÷	961	=	%	%
5	396, 872	÷	532	=	%	%
No.1〜No.5 小 計 ① =					100 %	
6	414, 048	÷	608	=	%	%
7	288, 021	÷	93	=	%	%
8	65, 450	÷	154	=	%	%
9	758, 268	÷	826	=	%	%
10	211, 640	÷	370	=	%	%
No.6〜No.10 小 計 ② =					100 %	
(小計 ① + ②) 合 計 =						100 %
11	¥ 263, 097	÷	943	=	%	%
12	¥ 39, 420	÷	108	=	%	%
13	¥ 525, 895	÷	85	=	%	%
14	¥ 605, 010	÷	670	=	%	%
15	¥ 148, 708	÷	329	=	%	%
No.11〜No.15 小 計 ③ =					100 %	
16	¥ 81, 312	÷	264	=	%	%
17	¥ 686, 356	÷	836	=	%	%
18	¥ 382, 746	÷	701	=	%	%
19	¥ 112, 480	÷	592	=	%	%
20	¥ 307, 618	÷	4, 157	=	%	%
No.16〜No.20 小 計 ④ =					100 %	
(小計 ③ + ④) 合 計 =						100 %

4級

第10回　4級 見取算問題 （制限時間10分）

採点欄

No.	(1)	(2)	(3)	(4)	(5)
1	¥ 39, 701	¥ 91, 820	¥ 2, 517	¥ 30, 872	¥ 8, 721
2	576	5, 147	90, 734	1, 596	39, 540
3	1, 829	303	468	204	682
4	74, 130	23, 764	6, 301	5, 739	91, 465
5	268	−678	57, 293	78, 941	4, 207
6	6, 045	−7, 453	845	−687	753
7	917	18, 096	15, 670	−9, 153	23, 016
8	83, 654	231	3, 986	−46, 025	5, 649
9	5, 402	4, 589	729	891	371
10	176	50, 974	21, 054	2, 360	80, 194
11	48, 230	3, 650	9, 468	−712	6, 985
12	2, 591	−193	312	−3, 948	207
13	783	−89, 402	68, 230	54, 206	9, 538
14	60, 945	−6, 215	4, 897	187	17, 863
15	9, 328	768	105	60, 453	420
計					

No.	(6)	(7)	(8)	(9)	(10)
1	¥ 8, 319	¥ 38, 120	¥ 207	¥ 47, 302	¥ 761
2	265	475	63, 985	560	54, 083
3	50, 892	9, 263	4, 129	28, 739	650
4	703	50, 947	50, 746	−1, 293	2, 894
5	1, 984	1, 302	358	−648	91, 237
6	49, 157	896	7, 032	84, 951	3, 942
7	3, 470	−789	891	3, 084	408
8	826	−61, 058	96, 574	215	10, 529
9	27, 631	−2, 934	1, 203	9, 526	8, 315
10	5, 049	591	465	10, 697	276
11	72, 563	86, 402	2, 610	−5, 760	5, 061
12	108	−4, 215	34, 826	−832	47, 830
13	6, 284	−376	789	−74, 951	197
14	917	7, 643	89, 134	308	39, 658
15	34, 650	15, 780	5, 071	6, 174	6, 742
計					

第10回　4級　複合算問題 （制限時間10分）

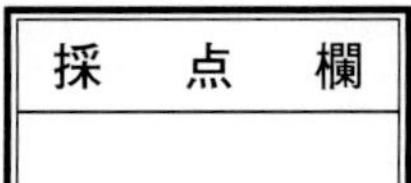

【禁無断転載】

No.	
1	947, 296 ÷ 4 − 13, 342 × 11 =
2	365, 730 ÷ 438 + 94, 605 × 182 =
3	（921, 536 − 482, 632）÷（629 + 35）=
4	（7, 281 − 5, 831）×（389 + 436）=
5	（67, 875 ÷ 125）×（461, 580 ÷ 628）=
6	357, 588 ÷ 473 − 60, 346 ÷ 286 =
7	190, 855 ÷ 931 + 76, 035 ÷ 411 =
8	（7, 632 − 2, 482）×（923 − 342）=
9	（96, 802 − 12, 622）÷（1, 355 − 895）=
10	（2, 723 × 92）÷（389 × 46）=
11	7, 128 × 473 − 202, 384 ÷ 52 =
12	6, 457 × 535 + 58, 875 ÷ 471 =
13	（7, 934 + 2, 001）×（659 − 27）=
14	（35, 491 + 123, 605）÷（88 − 32）=
15	（756 × 2, 457）÷（148, 176 ÷ 784）=
16	675 × 5, 462 − 1, 962 × 879 =
17	468 × 779 + 2, 806 × 546 =
18	（238, 212 + 78, 724）÷（465 + 227）=
19	（8, 231 + 1, 862）×（238 + 2, 349）=
20	（676, 860 ÷ 389）÷（89, 175 ÷ 205）=

第1回　3級 乗 算 問 題 (制限時間10分)

(注意) 無名数で小数第3位未満の端数が出たとき、名数で円位未満の端数が出たとき、パーセントの小数第2位未満の端数が出たときは四捨五入すること。

採点欄

No.							
1	52,849	×	14	=		%	%
2	9,350	×	768	=		%	%
3	7,082	×	341	=		%	%
4	2,607	×	893	=		%	%
5	4,781	×	250	=		%	%
No.1〜No.5 小計 ① =						100 %	
6	0.0196	×	47.5	=		%	%
7	3.04	×	926.7	=		%	%
8	8.125	×	0.536	=		%	%
9	13.78	×	64.9	=		%	%
10	0.6193	×	0.052	=		%	%
No.6〜No.10 小計 ② =						100 %	
(小計 ① + ②) 合計 =							100 %
11	¥ 697	×	2,701	=		%	%
12	¥ 5,183	×	609	=		%	%
13	¥ 4,256	×	138	=		%	%
14	¥ 8,061	×	592	=		%	%
15	¥ 7,692	×	463	=		%	%
No.11〜No.15 小計 ③ =						100 %	
16	¥ 1,375	×	4.28	=		%	%
17	¥ 9,730	×	35.4	=		%	%
18	¥ 27,850	×	0.96	=		%	%
19	¥ 8,249	×	0.017	=		%	%
20	¥ 3,104	×	0.875	=		%	%
No.16〜No.20 小計 ④ =						100 %	
(小計 ③ + ④) 合計 =							100 %

第1回　3級 除 算 問 題 (制限時間10分)

(注意) 無名数で小数第3位未満の端数が出たとき、名数で円位未満の端数が出たとき、パーセントの小数第2位未満の端数が出たときは四捨五入すること。

採　点　欄

No.							
1	346, 368	÷	768	=		%	%
2	92, 610	÷	315	=		%	%
3	177, 840	÷	2, 470	=		%	%
4	185, 280	÷	193	=		%	%
5	78, 374	÷	526	=		%	%
No.1～No.5 小 計 ① =						100 %	
6	5. 09733	÷	0. 81	=		%	%
7	0. 004699	÷	0. 054	=		%	%
8	25. 6744	÷	47. 9	=		%	%
9	0. 11376	÷	6. 32	=		%	%
10	370. 125	÷	987	=		%	%
No.6～No.10 小 計 ② =						100 %	
(小計 ① + ②) 合 計 =							100 %
11	¥ 88, 769	÷	29	=		%	%
12	¥ 421, 260	÷	510	=		%	%
13	¥ 117, 997	÷	631	=		%	%
14	¥ 454, 391	÷	467	=		%	%
15	¥ 582, 528	÷	984	=		%	%
No.11～No.15 小 計 ③ =						100 %	
16	¥ 22, 152	÷	340. 8	=		%	%
17	¥ 39	÷	0. 093	=		%	%
18	¥ 2, 541	÷	7. 26	=		%	%
19	¥ 88	÷	0. 125	=		%	%
20	¥ 217	÷	0. 875	=		%	%
No.16～No.20 小 計 ④ =						100 %	
(小計 ③ + ④) 合 計 =							100 %

3級

第1回　3級 見取算問題 (制限時間10分)

採 点 欄

【禁無断転載】

No.	(1)	(2)	(3)	(4)	(5)
1	¥ 1, 562	¥ 7, 653	¥ 308, 179	¥ 40, 517	¥ 4, 512
2	85, 243	506, 724	50, 624	9, 836	10, 259
3	391	271	496	58, 723	670
4	4, 036	14, 698	36, 950	812, 970	946, 208
5	906, 247	793, 502	964, 712	6, 041	−736
6	57, 412	8, 410	−931	794	−28, 967
7	174, 805	42, 367	−43, 807	235, 986	−693, 485
8	42, 981	105	1, 028	4, 039	5, 314
9	324	295, 718	563	582, 317	82, 957
10	539, 178	68, 459	20, 731	26, 405	379, 841
11	603	3, 096	−9, 678	368	−1, 082
12	28, 769	20, 835	−82, 345	73, 592	−30, 521
13	710, 986	871, 260	−715, 402	184	407, 396
14	63, 570	39, 184	1, 856	907, 641	54, 763
15	8, 059	943	597, 284	61, 250	108
計					

No.	(6)	(7)	(8)	(9)	(10)
1	¥ 73, 865	¥ 2, 394	¥ 218, 570	¥ 713, 264	¥ 861, 079
2	916	34, 057	3, 184	4, 826	431
3	87, 234	618	65, 027	29, 401	7, 605
4	6, 529	918, 735	906	179	208, 947
5	842	−49, 260	2, 763	3, 745	19, 024
6	52, 709	−7, 401	90, 387	−572, 086	345, 280
7	931, 078	−586	426, 819	−38, 142	2, 753
8	14, 365	85, 129	7, 953	107, 938	91, 864
9	7, 401	152, 638	154	91, 420	683, 512
10	26, 580	−3, 840	80, 461	456, 097	70, 298
11	490, 127	96, 473	501, 328	80, 653	4, 375
12	5, 691	−570, 942	79, 642	−2, 580	516
13	309, 478	−16, 807	834, 205	−793	38, 107
14	143	703, 529	491	−65, 319	962
15	268, 350	−261	56, 739	568	56, 493
計					

第1回　3級 複合算問題 (制限時間10分)

採点欄

(注意) 整数未満の端数が出たときは切り捨てること。ただし、端数処理は1題の解答について行うのではなく、1計算ごとに行うこと。

No.	
1	$8,172 \times 30.5 - 209,061 \div 89 =$
2	$(331,978 + 81,032) \div (61.3 + 28.7) =$
3	$(9.16 + 30.84) + 5,713 \times 264 =$
4	$(410.7 + 628.3) \times (528 + 7,801) =$
5	$(3,152,087 \div 87) \div (5,108,924 \div 93,017) =$
6	$1,673 \times 421 + 1,766,373 \div 4,893 =$
7	$(8,142 - 7,631) \times (792 \times 40.5) =$
8	$(911,379 - 295,041) \div (8,708 - 2,354) =$
9	$(318,966 + 61,908) \div (601 - 87) =$
10	$(3,907 \times 42.6) \div (16.3 \times 49) =$
11	$2,584,545 \div 53 - 2,551,120 \div 715 =$
12	$(312.5 + 69.5) \times (59,014 - 2,096) =$
13	$30,185,914 \div 8,041 + 12,618,216 \div 20,618 =$
14	$16,349,208 \div 632 + 298 \times 2,751 =$
15	$(478,190,328 \div 59) \div (538 \times 21) =$
16	$2,337,310 \div 94 - 56 \times 273 =$
17	$357 \times 5,816 - 406.2 \times 805 =$
18	$(390,278,451 \div 63) \div (109 \times 31) =$
19	$(7,926 - 813) \times (3,271 - 1,684) =$
20	$(35,081.4 \div 7.9) \times (371,604 \div 591.3) =$

第2回　3級 乗 算 問 題 （制限時間10分）

採 点 欄

【禁無断転載】

（注意）無名数で小数第3位未満の端数が出たとき、名数で円位未満の端数が出たとき、パーセントの小数第2位未満の端数が出たときは四捨五入すること。

No.							
1		4, 582	×	710	=	%	%
2		8, 497	×	208	=	%	%
3		6, 530	×	941	=	%	%
4		30, 867	×	49	=	%	%
5		7, 618	×	523	=	%	%
No.1～No.5 小 計 ① =						100 %	
6		1. 432	×	0. 625	=	%	%
7		24. 16	×	95. 7	=	%	%
8		0. 9873	×	0. 064	=	%	%
9		0. 0375	×	19. 6	=	%	%
10		51. 9	×	30. 82	=	%	%
No.6～No.10 小 計 ② =						100 %	
(小計 ① + ②) 合 計 =							100 %
11	¥	8, 136	×	250	=	%	%
12	¥	6, 987	×	132	=	%	%
13	¥	4, 291	×	583	=	%	%
14	¥	532	×	7, 948	=	%	%
15	¥	7, 064	×	629	=	%	%
No.11～No.15 小 計 ③ =						100 %	
16	¥	2, 940	×	81. 7	=	%	%
17	¥	3, 875	×	0. 904	=	%	%
18	¥	9, 428	×	3. 75	=	%	%
19	¥	74, 150	×	0. 46	=	%	%
20	¥	1, 063	×	0. 061	=	%	%
No.16～No.20 小 計 ④ =						100 %	
(小計 ③ + ④) 合 計 =							100 %

第2回　3級 除 算 問 題 （制限時間10分）

採　点　欄

【禁無断転載】

（注意）無名数で小数第3位未満の端数が出たとき、名数で円位未満の端数が出たとき、パーセントの小数第2位未満の端数が出たときは四捨五入すること。

No.						
1	421, 668	÷	901	=	%	%
2	122, 247	÷	2, 397	=	%	%
3	121, 600	÷	128	=	%	%
4	199, 470	÷	610	=	%	%
5	300, 840	÷	345	=	%	%
No.1～No.5　小　計 ① =					100　%	
6	30. 0735	÷	48. 9	=	%	%
7	0. 80352	÷	8. 64	=	%	%
8	140. 058	÷	753	=	%	%
9	3. 85268	÷	0. 52	=	%	%
10	0. 017783	÷	0. 076	=	%	%
No.6～No.10　小　計 ② =					100　%	
（小計 ① + ②）合　計 =						100　%

No.						
11	¥　80, 898	÷	582	=	%	%
12	¥　573, 272	÷	706	=	%	%
13	¥　113, 764	÷	239	=	%	%
14	¥　217, 623	÷	43	=	%	%
15	¥　198, 030	÷	690	=	%	%
No.11～No.15　小　計 ③ =					100　%	
16	¥　6, 162	÷	9. 48	=	%	%
17	¥　637	÷	0. 875	=	%	%
18	¥　113	÷	0. 125	=	%	%
19	¥　12, 649	÷	361. 4	=	%	%
20	¥　35	÷	0. 071	=	%	%
No.16～No.20　小　計 ④ =					100　%	
（小計 ③ + ④）合　計 =						100　%

3級

第2回　3級 見取算問題 (制限時間10分)

採　点　欄

【禁無断転載】

No.	(1)	(2)	(3)	(4)	(5)
1	¥ 927	¥ 605, 792	¥ 203, 918	¥ 21, 704	¥ 852
2	65, 092	3, 465	5, 634	862, 397	9, 016
3	390, 148	19, 548	240	6, 752	78, 534
4	6, 253	820, 731	136, 085	53, 026	2, 478
5	83, 470	247	74, 359	−681	90, 187
6	2, 915	−98, 410	576	−740, 913	604, 271
7	658	−7, 059	380, 217	−19, 830	5, 940
8	57, 036	286, 103	69, 381	935, 401	86, 592
9	178, 564	72, 634	7, 820	528	510, 726
10	41, 702	4, 508	946	3, 249	21, 839
11	825, 693	−396	42, 709	475	357, 024
12	14, 806	−43, 012	890, 652	79, 086	693
13	781	−569, 821	51, 497	407, 162	43, 105
14	3, 149	31, 975	8, 124	−94, 518	167, 943
15	209, 374	687	15, 763	−8, 635	368
計					

No.	(6)	(7)	(8)	(9)	(10)
1	¥ 948, 075	¥ 968	¥ 6, 248	¥ 471, 236	¥ 48, 709
2	6, 738	42, 685	832, 504	6, 147	236, 810
3	421	318, 924	75, 436	15, 692	69, 278
4	501, 294	−509	4, 780	309	817, 963
5	19, 067	−20, 756	912	52, 013	749
6	356	894, 017	20, 391	471	175, 324
7	75, 849	269	187	−7, 589	4, 950
8	3, 910	650, 794	41, 263	−304, 298	83, 205
9	24, 605	73, 410	160, 859	−98, 305	564
10	782	5, 832	58, 647	7, 450	2, 036
11	82, 134	−462, 081	925	83, 742	607, 123
12	360, 597	−7, 103	89, 703	635, 924	5, 691
13	51, 926	−89, 375	607, 159	−20, 681	91, 387
14	237, 840	1, 532	3, 065	−867	458
15	8, 613	36, 147	492, 371	169, 058	50, 142
計					

第2回　3級　複合算問題（制限時間10分）

（注意）整数未満の端数が出たときは切り捨てること。ただし、端数処理は1題の解答について行うのではなく、1計算ごとに行うこと。

採　点　欄

No.	
1	(483, 336 + 59, 274) ÷ (71. 9 + 18. 1) =
2	(572. 6 + 910. 4) × (432 + 5, 976) =
3	(5. 36 + 19. 64) + 4, 829 × 153 =
4	9, 042 × 70. 5 − 350, 168 ÷ 74 =
5	(4, 097, 835 ÷ 91) ÷ (4, 768, 291 ÷ 98, 103) =
6	(6, 129 − 4, 083) × (815 × 31. 4) =
7	(470, 929 + 52, 196) ÷ (721 − 96) =
8	(688, 074 − 315, 018) ÷ (9, 215 − 3, 647) =
9	2, 043 × 715 + 2, 446, 752 ÷ 5, 296 =
10	(2, 814 × 50. 8) ÷ (27. 4 × 38) =
11	(423. 6 + 70. 4) × (60, 925 − 3, 187) =
12	(589, 281, 437 ÷ 67) ÷ (649 × 32) =
13	64, 210, 432 ÷ 9, 152 + 17, 863, 427 ÷ 31, 729 =
14	3, 063, 104 ÷ 64 − 3, 325, 476 ÷ 826 =
15	47, 196, 103 ÷ 743 + 307 × 3, 862 =
16	280 × 7, 364 − 538. 4 × 795 =
17	(1, 675 − 892) × (392 − 286) =
18	(1, 912, 678 ÷ 74) × (578, 125 ÷ 31. 25) =
19	1, 704, 745 ÷ 53 − 18 × 297 =
20	(479, 235 ÷ 8. 3) × (369, 780 ÷ 538. 6) =

3級

第3回　3級 乗 算 問 題 (制限時間10分)

採　点　欄

【禁無断転載】

(注意) 無名数で小数第3位未満の端数が出たとき、名数で円位未満の端数が出たとき、パーセントの小数第2位未満の端数が出たときは四捨五入すること。

No.							
1	8, 437	×	560	=		%	%
2	4, 831	×	726	=		%	%
3	20, 196	×	83	=		%	%
4	3, 460	×	157	=		%	%
5	9, 523	×	641	=		%	%
No.1〜No.5 小 計 ① =						100 %	
6	79. 2	×	41. 09	=		%	%
7	58. 19	×	27. 3	=		%	%
8	0. 0625	×	94. 8	=		%	%
9	0. 6578	×	0. 092	=		%	%
10	170. 4	×	0. 385	=		%	%
No.6〜No.10 小 計 ② =						100 %	
(小計 ① + ②) 合 計 =							100 %
11	¥ 3, 504	×	896	=		%	%
12	¥ 851	×	5, 309	=		%	%
13	¥ 6, 247	×	980	=		%	%
14	¥ 2, 809	×	613	=		%	%
15	¥ 5, 196	×	742	=		%	%
No.11〜No.15 小 計 ③ =						100 %	
16	¥ 1, 093	×	0. 071	=		%	%
17	¥ 7, 368	×	0. 125	=		%	%
18	¥ 48, 170	×	2. 4	=		%	%
19	¥ 9, 472	×	0. 375	=		%	%
20	¥ 3, 625	×	4. 68	=		%	%
No.16〜No.20 小 計 ④ =						100 %	
(小計 ③ + ④) 合 計 =							100 %

第3回　3級 除 算 問 題 (制限時間10分)

採点欄

(注意) 無名数で小数第3位未満の端数が出たとき、名数で円位未満の端数が出たとき、パーセントの小数第2位未満の端数が出たときは四捨五入すること。

No.							
1		153, 120	÷	957	=	%	%
2		79, 924	÷	3, 074	=	%	%
3		385, 435	÷	491	=	%	%
4		203, 320	÷	520	=	%	%
5		189, 864	÷	216	=	%	%
No.1～No.5 小計 ① =						100 %	
6		0. 0542819	÷	0. 083	=	%	%
7		0. 29326	÷	6. 82	=	%	%
8		4. 12222	÷	0. 79	=	%	%
9		72. 105	÷	165	=	%	%
10		39. 5076	÷	43. 8	=	%	%
No.6～No.10 小計 ② =						100 %	
(小計 ① + ②) 合計 =							100 %
11	¥	251, 808	÷	7, 869	=	%	%
12	¥	509, 751	÷	627	=	%	%
13	¥	73, 332	÷	108	=	%	%
14	¥	450, 773	÷	83	=	%	%
15	¥	376, 920	÷	540	=	%	%
No.11～No.15 小計 ③ =						100 %	
16	¥	108	÷	0. 432	=	%	%
17	¥	64, 599	÷	91. 5	=	%	%
18	¥	33	÷	0. 264	=	%	%
19	¥	3, 690	÷	3. 75	=	%	%
20	¥	37	÷	0. 091	=	%	%
No.16～No.20 小計 ④ =						100 %	
(小計 ③ + ④) 合計 =							100 %

3級

第3回　3級 見取算問題 (制限時間10分)

採　点　欄

【禁無断転載】

No.	(1)	(2)	(3)	(4)	(5)
1	¥ 37, 814	¥ 1, 409	¥ 21, 576	¥ 96, 087	¥ 95, 460
2	841, 093	602, 587	9, 105	179, 352	892
3	52, 940	315	150, 974	83, 249	1, 265
4	192	56, 930	836	938	610, 349
5	5, 036	3, 704	563, 710	4, 280	−48, 057
6	609, 375	837, 126	−32, 457	701, 354	−7, 916
7	4, 217	75, 843	−9, 862	28, 765	304, 175
8	934	290	−81, 925	657, 401	59, 026
9	28, 769	62, 371	698, 043	829	2, 138
10	760, 852	457	487	5, 716	−186, 742
11	6, 380	219, 638	−14, 390	674	−23, 508
12	915, 607	95, 042	−706, 249	32, 461	−934
13	83, 561	8, 169	47, 301	245, 093	79, 483
14	425	784, 925	−682	9, 106	835, 207
15	72, 148	40, 816	5, 238	10, 538	671
計					

No.	(6)	(7)	(8)	(9)	(10)
1	¥ 1, 350	¥ 1, 749	¥ 27, 568	¥ 32, 685	¥ 248, 916
2	504, 689	38, 097	8, 301	459, 013	1, 804
3	39, 742	593, 812	601, 947	−81, 296	26, 549
4	871	741	57, 326	−480	7, 380
5	68, 739	450, 386	715	−5, 702	139, 067
6	423, 906	15, 624	94, 873	902, 368	84, 520
7	2, 150	−213	470, 531	74, 839	692
8	16, 827	−7, 630	6, 209	3, 754	73, 258
9	275	64, 159	45, 680	−29, 147	301, 745
10	690, 413	782, 405	962	−546, 310	52, 469
11	75, 698	927	3, 147	168	987
12	8, 164	−20, 368	162, 059	7, 521	460, 831
13	987, 021	−901, 856	894	618, 974	375
14	543	−49, 538	39, 482	90, 235	96, 123
15	42, 305	6, 270	582, 013	607	5, 701
計					

第3回　3級 複合算問題 （制限時間10分）

（注意）整数未満の端数が出たときは切り捨てること。ただし、端数処理は1題の解答について行うのではなく、1計算ごとに行うこと。

採点欄

No.	
1	（666, 323 + 69, 013）÷（57. 2 + 26. 8）=
2	（5. 29 + 50. 71）+ 6, 493 × 308 =
3	7, 064 × 29. 5 − 214, 082 ÷ 74 =
4	（768. 9 + 304. 1）×（620 + 9, 154）=
5	（2, 951, 047 ÷ 76）÷（4, 295, 648 ÷ 76, 103）=
6	（5, 018 − 3, 972）×（704 × 20. 5）=
7	（655, 915 − 204, 907）÷（8, 104 − 2, 536）=
8	1, 932 × 604 + 2, 824, 875 ÷ 4, 185 =
9	（208, 827 + 41, 085）÷（619 − 85）=
10	（1, 723 × 49. 7）÷（16. 3 × 27）=
11	（720. 8 + 59. 2）×（47, 821 − 3, 894）=
12	45, 227, 036 ÷ 6, 907 + 12, 900, 956 ÷ 37, 286 =
13	2, 951, 088 ÷ 42 − 4, 385, 766 ÷ 863 =
14	9, 956, 856 ÷ 291 + 471 × 3, 052 =
15	（3, 695, 184 ÷ 48）×（148, 003 ÷ 629. 8）=
16	314 × 8, 029 − 721. 5 × 394 =
17	（3, 792, 825 ÷ 81）×（9, 803. 75 ÷ 6. 875）=
18	4, 652, 224 ÷ 64 − 21 × 359 =
19	（2, 019 − 768）×（451 − 327）=
20	（359, 406 ÷ 7. 9）×（471, 089 ÷ 709. 8）=

第4回　3級 乗 算 問 題 (制限時間10分)

【禁無断転載】

(注意) 無名数で小数第3位未満の端数が出たとき、名数で円位未満の端数が出たとき、パーセントの小数第2位未満の端数が出たときは四捨五入すること。

採 点 欄

No.							
1	7, 361	×	509	=		%	%
2	45, 790	×	76	=		%	%
3	1, 856	×	920	=		%	%
4	5, 982	×	134	=		%	%
5	6, 203	×	481	=		%	%
No.1～No.5 小 計 ① =						100 %	
6	34. 67	×	85. 2	=		%	%
7	0. 0125	×	34. 8	=		%	%
8	270. 4	×	0. 695	=		%	%
9	0. 9148	×	0. 073	=		%	%
10	83. 9	×	21. 67	=		%	%
No.6～No.10 小 計 ② =						100 %	
(小計 ① + ②) 合 計 =							100 %
11	￥ 247	×	5, 183	=		%	%
12	￥ 7, 469	×	248	=		%	%
13	￥ 3, 784	×	901	=		%	%
14	￥ 9, 031	×	439	=		%	%
15	￥ 4, 352	×	802	=		%	%
No.11～No.15 小 計 ③ =						100 %	
16	￥ 5, 968	×	0. 125	=		%	%
17	￥ 97, 820	×	6. 7	=		%	%
18	￥ 1, 056	×	0. 375	=		%	%
19	￥ 6, 125	×	7. 64	=		%	%
20	￥ 8, 013	×	0. 096	=		%	%
No.16～No.20 小 計 ④ =						100 %	
(小計 ③ + ④) 合 計 =							100 %

第4回　3級 除算問題 (制限時間10分)

(注意) 無名数で小数第3位未満の端数が出たとき、名数で円位未満の端数が出たとき、パーセントの小数第2位未満の端数が出たときは四捨五入すること。

【禁無断転載】

採　点　欄

No.						
1	240,250	÷	961	=	%	%
2	140,658	÷	238	=	%	%
3	178,340	÷	185	=	%	%
4	200,412	÷	5,274	=	%	%
5	335,685	÷	417	=	%	%
No.1〜No.5 小　計 ① =					100　%	
6	0.57646	÷	7.03	=	%	%
7	5.65061	÷	0.89	=	%	%
8	87.63	÷	690	=	%	%
9	16.7552	÷	35.2	=	%	%
10	0.0327998	÷	0.046	=	%	%
No.6〜No.10 小　計 ② =					100　%	
(小計 ① + ②) 合　計 =						100　%
11	¥ 718,673	÷	7,409	=	%	%
12	¥ 39,039	÷	231	=	%	%
13	¥ 395,928	÷	564	=	%	%
14	¥ 396,180	÷	930	=	%	%
15	¥ 181,641	÷	317	=	%	%
No.11〜No.15 小　計 ③ =					100　%	
16	¥ 532	÷	0.875	=	%	%
17	¥ 6,417	÷	18.6	=	%	%
18	¥ 82	÷	0.092	=	%	%
19	¥ 1,150	÷	6.25	=	%	%
20	¥ 1,128	÷	0.48	=	%	%
No.16〜No.20 小　計 ④ =					100　%	
(小計 ③ + ④) 合　計 =						100　%

第4回　3級 見取算問題 (制限時間10分)

採点欄

【禁無断転載】

No.	(1)	(2)	(3)	(4)	(5)
1	¥ 487,563	¥ 91,072	¥ 685	¥ 314,697	¥ 2,854
2	94,105	420,153	867,401	510	162
3	378	5,970	1,893	−8,054	506,281
4	103,562	−246,381	750	−52,841	39,715
5	8,720	−39,605	96,048	691,723	4,932
6	59,371	−7,354	8,137	5,832	713,609
7	125	59,837	342,519	43,109	65,097
8	5,601	104,763	13,275	275	7,458
9	672,984	902	4,362	−70,386	190,326
10	30,459	87,516	20,984	938,061	58,294
11	732	568,420	487,069	7,239	463
12	846,290	−684	193	−20,674	21,078
13	64,817	−13,248	52,310	−169,487	380,617
14	9,048	2,169	605,742	−925	843
15	21,936	897	79,526	86,450	49,570
計					

No.	(6)	(7)	(8)	(9)	(10)
1	¥ 62,187	¥ 491	¥ 170	¥ 409,312	¥ 58,491
2	879,346	25,908	4,732	76,495	261,930
3	1,024	974,831	592,068	4,906	95,067
4	251	3,584	31,956	−153,068	159
5	90,742	620	5,269	−27,345	82,570
6	409,526	−52,018	458	−687	6,823
7	3,870	−495,170	47,201	519,762	741
8	84,935	89,063	708,613	85,079	649,218
9	593	7,642	9,586	924	4,852
10	156,304	308,925	73,819	−6,831	907
11	38,619	−16,379	210,345	−40,153	70,324
12	7,463	−7,856	69,184	1,870	835,602
13	25,708	−362	327	368,217	14,763
14	195	61,743	856,740	92,548	403,196
15	672,081	540,217	23,094	203	7,385
計					

第4回　3級 複合算問題 （制限時間10分）

（注意）整数未満の端数が出たときは切り捨てること。ただし、端数処理は1題の解答について行うのではなく、1計算ごとに行うこと。

採点欄

No.	
1	5, 108 × 34. 5 − 345, 024 ÷ 96 =
2	（434, 938 + 59, 106）÷（64. 3 + 51. 7）=
3	（4. 73 + 29. 27）+ 5, 815 × 709 =
4	（320. 7 + 513. 3）×（518 + 8, 741）=
5	（2, 716, 038 ÷ 64）÷（2, 916, 013 ÷ 81, 942）=
6	2, 043 × 715 + 4, 480, 416 ÷ 5, 296 =
7	（6, 129 − 3, 804）×（875 × 39. 2）=
8	（738, 186 − 315, 018）÷（9, 215 − 3, 647）=
9	（446, 128 + 52, 196）÷（728 − 94）=
10	（2, 834 × 50. 8）÷（27. 4 × 38）=
11	6, 135, 838 ÷ 89 − 1, 805, 133 ÷ 627 =
12	（218. 5 + 16. 5）×（69, 937 − 8, 157）=
13	34, 033, 839 ÷ 6, 781 + 24, 981, 420 ÷ 35, 790 =
14	25, 196, 864 ÷ 704 + 145 × 3, 869 =
15	（715, 109, 738 ÷ 62）÷（180 × 64）=
16	2, 886, 744 ÷ 42 − 29 × 308 =
17	179 × 6, 253 − 427. 5 × 684 =
18	（2, 977, 254 ÷ 63）×（540, 075 ÷ 712. 5）=
19	（2, 786 − 903）×（4, 016 − 3, 976）=
20	（36, 812. 4 ÷ 7. 2）×（258, 679 ÷ 427. 5）=

第5回　3級 乗 算 問 題 （制限時間10分）

（注意）無名数で小数第3位未満の端数が出たとき、名数で円位未満の端数が出たとき、パーセントの小数第２位未満の端数が出たときは四捨五入すること。

採 点 欄

No.							
1	9, 076	×	513	=		%	%
2	4, 901	×	280	=		%	%
3	2, 649	×	701	=		%	%
4	38, 450	×	37	=		%	%
5	7, 682	×	419	=		%	%
No.1～No.5 小 計 ① =						100 %	
6	0. 0625	×	6. 32	=		%	%
7	82. 7	×	13. 95	=		%	%
8	57. 34	×	89. 6	=		%	%
9	0. 6453	×	0. 918	=		%	%
10	12. 75	×	0. 084	=		%	%
No.6～No.10 小 計 ② =						100 %	
（小計 ① ＋ ②） 合 計 =							100 %
11	￥ 9, 251	×	306	=		%	%
12	￥ 6, 079	×	482	=		%	%
13	￥ 296	×	1, 437	=		%	%
14	￥ 4, 783	×	214	=		%	%
15	￥ 8, 504	×	903	=		%	%
No.11～No.15 小 計 ③ =						100 %	
16	￥ 98, 310	×	7. 9	=		%	%
17	￥ 1, 468	×	6. 25	=		%	%
18	￥ 7, 125	×	0. 568	=		%	%
19	￥ 5, 632	×	0. 875	=		%	%
20	￥ 3, 047	×	0. 091	=		%	%
No.16～No.20 小 計 ④ =						100 %	
（小計 ③ ＋ ④） 合 計 =							100 %

第5回　3級 除 算 問 題 (制限時間10分)

(注意) 無名数で小数第3位未満の端数が出たとき、名数で円位未満の端数が出たとき、パーセントの小数第2位未満の端数が出たときは四捨五入すること。

採　点　欄

No.	問題						
1	124, 800	÷	975	=		%	%
2	624, 160	÷	752	=		%	%
3	78, 118	÷	139	=		%	%
4	108, 420	÷	260	=		%	%
5	789, 882	÷	8, 403	=		%	%
No.1〜No.5 小　計 ① =						100 %	
6	1. 32753	÷	0. 51	=		%	%
7	0. 030971	÷	0. 087	=		%	%
8	0. 45136	÷	4. 96	=		%	%
9	283. 5	÷	324	=		%	%
10	46. 2882	÷	61. 8	=		%	%
No.6〜No.10 小　計 ② =						100 %	
(小計 ① + ②) 合　計 =							100 %
11	¥ 69, 187	÷	43	=		%	%
12	¥ 578, 790	÷	590	=		%	%
13	¥ 614, 922	÷	726	=		%	%
14	¥ 53, 704	÷	137	=		%	%
15	¥ 173, 228	÷	341	=		%	%
No.11〜No.15 小　計 ③ =						100 %	
16	¥ 644	÷	0. 875	=		%	%
17	¥ 2, 754	÷	6. 12	=		%	%
18	¥ 19	÷	0. 089	=		%	%
19	¥ 565	÷	0. 904	=		%	%
20	¥ 19, 869	÷	268. 5	=		%	%
No.16〜No.20 小　計 ④ =						100 %	
(小計 ③ + ④) 合　計 =							100 %

第5回　3級 見取算問題 (制限時間10分)

採　点　欄

【禁無断転載】

No.	(1)	(2)	(3)	(4)	(5)
1	¥ 984,516	¥ 645	¥ 583	¥ 63,405	¥ 3,914
2	361	467,820	709,462	9,382	74,153
3	50,132	25,408	2,846	159	430
4	7,905	1,623	130,795	426,095	8,021
5	490,657	70,581	−43,507	12,738	704,386
6	8,419	213,954	−216	846	−572
7	108	98,072	18,354	28,973	−32,769
8	61,372	536	928	507,264	−695,837
9	876,025	6,359	−620,139	91,520	49,608
10	540	89,104	−3,742	634,017	920,153
11	12,783	134,867	−57,804	7,421	−87,096
12	203,876	47,095	895,610	80,659	−1,425
13	35,694	3,761	61,975	348,716	240
14	9,247	289	4,231	5,907	65,819
15	23,498	902,317	76,098	138	156,782
計					

No.	(6)	(7)	(8)	(9)	(10)
1	¥ 75,049	¥ 368,590	¥ 163	¥ 98,276	¥ 9,136
2	943,652	2,739	27,408	7,418	86,073
3	4,790	85,127	718,920	916,205	298,704
4	51,208	971,064	615	−65,179	317
5	693,571	−653	90,372	−209,764	17,469
6	486	−36,842	8,739	641	645
7	82,137	−7,214	185,697	8,953	321,594
8	509,864	982	76,849	683,094	74,281
9	10,725	54,608	4,251	34,820	6,950
10	9,314	740,315	862,095	432	50,892
11	273	−26,408	43,107	−1,807	602,349
12	326,918	−501,937	534	−70,531	715
13	67,402	486	9,256	−395	25,038
14	180	13,059	601,483	42,516	8,207
15	8,563	9,271	53,024	523,087	143,856
計					

第5回　3級　複合算問題　(制限時間10分)

(注意) 整数未満の端数が出たときは切り捨てること。ただし、端数処理は1題の解答について行うのではなく、1計算ごとに行うこと。

採点欄

No.	
1	(600, 881 + 48, 095) ÷ (53. 2 + 40. 8) =
2	(219. 6 + 402. 4) × (407 + 7, 639) =
3	(3. 62 + 18. 38) + 4, 704 × 691 =
4	4, 098 × 23. 5 − 494, 943 ÷ 87 =
5	(1, 605, 927 ÷ 53) ÷ (1, 805, 902 ÷ 70, 831) =
6	(6, 798 − 2, 461) × (352 × 69. 5) =
7	(275, 736 + 52, 109) ÷ (732 − 67) =
8	(2, 714, 847 ÷ 62) ÷ (2, 015, 846 ÷ 9, 687) =
9	2, 708 × 895 + 2, 403, 926 ÷ 6, 293 =
10	(3, 649 × 427. 6) ÷ (36. 8 × 51) =
11	(354. 6 + 71. 4) × (59, 804 − 7, 316) =
12	52, 079, 005 ÷ 649 + 203 × 5, 127 =
13	51, 611, 340 ÷ 7, 109 + 32, 195, 856 ÷ 47, 208 =
14	4, 741, 209 ÷ 83 − 1, 107, 392 ÷ 704 =
15	(810, 237, 946 ÷ 72) ÷ (271 × 56) =
16	213 × 5, 926 − 351. 2 × 705 =
17	(5, 294 − 783) × (3, 209 − 2, 894) =
18	(1, 153, 230 ÷ 78) × (250, 424 ÷ 680. 5) =
19	2, 559, 129 ÷ 51 − 32 × 294 =
20	(27, 026. 8 ÷ 9. 4) × (319, 276 ÷ 781. 3) =

3級

第6回　3級 乗 算 問 題 (制限時間10分)

採 点 欄

(注意) 無名数で小数第3位未満の端数が出たとき、名数で円位未満の端数が出たとき、パーセントの小数第2位未満の端数が出たときは四捨五入すること。

No.							
1	8, 746	×	513	=		%	%
2	16, 582	×	94	=		%	%
3	7, 540	×	679	=		%	%
4	2, 361	×	807	=		%	%
5	6, 807	×	490	=		%	%
No.1～No.5 小 計 ① =						100 %	
6	90. 13	×	24. 8	=		%	%
7	0. 4379	×	0. 386	=		%	%
8	312. 5	×	0. 052	=		%	%
9	0. 0928	×	1. 25	=		%	%
10	59. 4	×	76. 31	=		%	%
No.6～No.10 小 計 ② =						100 %	
(小計 ① + ②) 合 計 =							100 %
11	¥ 7, 013	×	849	=		%	%
12	¥ 8, 759	×	621	=		%	%
13	¥ 6, 974	×	507	=		%	%
14	¥ 341	×	1, 683	=		%	%
15	¥ 2, 306	×	794	=		%	%
No.11～No.15 小 計 ③ =						100 %	
16	¥ 4, 207	×	0. 038	=		%	%
17	¥ 8, 192	×	0. 375	=		%	%
18	¥ 16, 850	×	0. 92	=		%	%
19	¥ 9, 325	×	4. 16	=		%	%
20	¥ 5, 648	×	20. 5	=		%	%
No.16～No.20 小 計 ④ =						100 %	
(小計 ③ + ④) 合 計 =							100 %

第6回　3級 除 算 問 題 (制限時間10分)

(注意) 無名数で小数第3位未満の端数が出たとき、名数で円位未満の端数が出たとき、パーセントの小数第２位未満の端数が出たときは四捨五入すること。

採　点　欄

No.							
1	120,900	÷	975	=		%	%
2	85,629	÷	391	=		%	%
3	646,665	÷	6,807	=		%	%
4	135,680	÷	256	=		%	%
5	264,480	÷	760	=		%	%
No.1～No.5 小 計 ① =						100 %	
6	9.514	÷	142	=		%	%
7	199.728	÷	438	=		%	%
8	354.959	÷	529	=		%	%
9	6.47566	÷	0.83	=		%	%
10	0.012501	÷	0.014	=		%	%
No.6～No.10 小 計 ② =						100 %	
(小計 ① + ②) 合 計 =							100 %
11	¥ 146,703	÷	237	=		%	%
12	¥ 386,044	÷	412	=		%	%
13	¥ 163,254	÷	598	=		%	%
14	¥ 462,826	÷	91	=		%	%
15	¥ 512,778	÷	609	=		%	%
No.11～No.15 小 計 ③ =						100 %	
16	¥ 67,108	÷	706.4	=		%	%
17	¥ 46	÷	0.125	=		%	%
18	¥ 31	÷	0.043	=		%	%
19	¥ 1,737	÷	3.86	=		%	%
20	¥ 91	÷	0.875	=		%	%
No.16～No.20 小 計 ④ =						100 %	
(小計 ③ + ④) 合 計 =							100 %

3級

第6回　　3級 見 取 算 問 題 （制限時間10分）

採　点　欄

【禁無断転載】

No.	(1)	(2)	(3)	(4)	(5)
1	¥ 875	¥ 581	¥ 387, 102	¥ 741, 893	¥ 4, 637
2	51, 934	14, 376	64, 295	408	186
3	129, 083	530, 847	947	3, 042	580, 943
4	3, 210	−23, 105	78, 026	68, 291	29, 504
5	960, 427	−351, 064	206, 598	−507, 386	632, 178
6	72, 306	649	53, 041	−96, 720	97, 035
7	9, 572	95, 208	4, 185	−2, 563	819
8	206, 143	6, 872	362	928, 654	18, 467
9	14, 807	79, 620	928, 534	89, 147	6, 051
10	695	980, 413	5, 618	410, 589	41, 720
11	85, 021	−47, 259	879	−35, 706	5, 906
12	637, 459	−798	31, 467	−132	957, 382
13	368	−8, 532	2, 350	4, 371	73, 294
14	8, 546	702, 461	490, 671	50, 217	612
15	41, 789	1, 936	19, 703	965	302, 548
計					

No.	(6)	(7)	(8)	(9)	(10)
1	¥ 849	¥ 807, 942	¥ 6, 194	¥ 3, 954	¥ 470, 235
2	32, 081	407	150, 936	67, 493	54, 987
3	974, 563	5, 896	75, 328	405, 689	324
4	26, 478	−90, 268	9, 762	−56, 427	86, 941
5	695	−689, 134	368, 519	−873	1, 629
6	5, 729	4, 793	23, 041	−92, 345	842, 375
7	10, 234	342, 150	567	730, 851	93, 568
8	9, 380	28, 537	602, 478	1, 206	210, 493
9	401, 537	−316	87, 140	48, 012	732
10	68, 071	−1, 759	795	214, 530	69, 450
11	4, 652	−32, 608	594, 203	986	817
12	218	756, 281	31, 680	−3, 107	5, 601
13	351, 960	15, 470	4, 829	−581, 729	301, 578
14	87, 405	914	271	79, 068	7, 096
15	793, 126	63, 025	48, 053	612	28, 160
計					

第6回　3級 複合算問題 (制限時間10分)

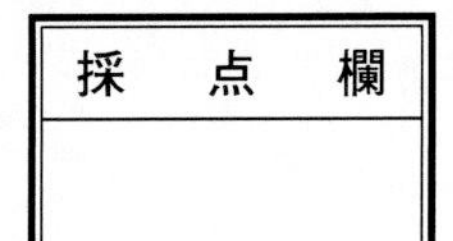

(注意) 整数未満の端数が出たときは切り捨てること。ただし、端数処理は1題の解答について行うのではなく、1計算ごとに行うこと。

No.	
1	(473, 372 + 59, 184) ÷ (64. 3 + 51. 7) =
2	(4. 73 + 29. 27) + 5, 813 × 702 =
3	3, 185 × 34. 8 − 758, 016 ÷ 96 =
4	(2, 714, 838 ÷ 61) ÷ (2, 916, 813 ÷ 81, 942) =
5	(308. 7 + 391. 3) × (508 + 9, 528) =
6	(9, 253 − 8, 742) × (803 × 512) =
7	(381, 950 − 103, 294) ÷ (7, 819 − 3, 465) =
8	2, 784 × 532 + 4, 971, 168 ÷ 5, 904 =
9	(142, 267 + 72, 019) ÷ (712 − 98) =
10	(4, 018 × 53. 7) ÷ (27. 4 × 51) =
11	(107. 5 + 95. 5) × (58, 826 − 7, 046) =
12	20, 292, 930 ÷ 5, 670 + 14, 368, 998 ÷ 24, 689 =
13	2, 531, 568 ÷ 78 − 2, 353, 476 ÷ 516 =
14	20, 059, 578 ÷ 693 + 256 × 4, 970 =
15	(604, 098, 627 ÷ 51) ÷ (291 × 75) =
16	192 × 4, 815 − 249. 8 × 695 =
17	(4, 134, 235 ÷ 67) × (240, 451 ÷ 579. 4) =
18	1, 557, 514 ÷ 49 − 43 × 183 =
19	(4, 183 − 672) × (2, 198 − 1, 783) =
20	(16, 915. 7 ÷ 8. 3) × (208, 165 ÷ 670. 2) =

第7回　3級 乗 算 問 題 (制限時間10分)

【禁無断転載】

(注意) 無名数で小数第3位未満の端数が出たとき、名数で円位未満の端数が出たとき、パーセントの小数第2位未満の端数が出たときは四捨五入すること。

採 点 欄

No.							
1	8, 013	×	249	=		%	%
2	3, 750	×	421	=		%	%
3	9, 851	×	746	=		%	%
4	2, 187	×	530	=		%	%
5	57, 368	×	14	=		%	%
No.1〜No.5 小 計 ① =						100 %	
6	1. 49	×	398. 7	=		%	%
7	69. 12	×	0. 025	=		%	%
8	0. 4625	×	9. 68	=		%	%
9	70. 34	×	65. 2	=		%	%
10	0. 0796	×	0. 803	=		%	%
No.6〜No.10 小 計 ② =						100 %	
(小計 ① + ②) 合 計 =							100 %
11	¥ 738	×	8, 061	=		%	%
12	¥ 8, 571	×	523	=		%	%
13	¥ 9, 162	×	290	=		%	%
14	¥ 1, 297	×	489	=		%	%
15	¥ 5, 403	×	612	=		%	%
No.11〜No.15 小 計 ③ =						100 %	
16	¥ 6, 125	×	9. 36	=		%	%
17	¥ 3, 046	×	17. 5	=		%	%
18	¥ 48, 650	×	0. 74	=		%	%
19	¥ 2, 789	×	0. 048	=		%	%
20	¥ 9, 304	×	0. 375	=		%	%
No.16〜No.20 小 計 ④ =						100 %	
(小計 ③ + ④) 合 計 =							100 %

第7回　3級 除 算 問 題 (制限時間10分)

(注意) 無名数で小数第3位未満の端数が出たとき、名数で円位未満の端数が出たとき、パーセントの小数第2位未満の端数が出たときは四捨五入すること。

採 点 欄

No.							
1		106, 288	÷	584	=	%	%
2		130, 524	÷	298	=	%	%
3		327, 369	÷	6, 419	=	%	%
4		97, 370	÷	130	=	%	%
5		204, 740	÷	706	=	%	%
No.1〜No.5 小 計 ① =						100 %	
6		1. 4238	÷	0. 45	=	%	%
7		0. 041191	÷	0. 061	=	%	%
8		28. 6671	÷	35. 7	=	%	%
9		0. 55404	÷	9. 72	=	%	%
10		762. 098	÷	823	=	%	%
No.6〜No.10 小 計 ② =						100 %	
(小計 ① + ②) 合 計 =							100 %
11	¥	181, 722	÷	62	=	%	%
12	¥	225, 234	÷	387	=	%	%
13	¥	332, 220	÷	490	=	%	%
14	¥	78, 334	÷	739	=	%	%
15	¥	233, 967	÷	501	=	%	%
No.11〜No.15 小 計 ③ =						100 %	
16	¥	945	÷	1. 26	=	%	%
17	¥	266	÷	0. 875	=	%	%
18	¥	50	÷	0. 053	=	%	%
19	¥	77, 894	÷	916. 4	=	%	%
20	¥	31	÷	0. 248	=	%	%
No.16〜No.20 小 計 ④ =						100 %	
(小計 ③ + ④) 合 計 =							100 %

第7回　3級 見取算問題（制限時間10分）

採　点　欄

No.	(1)	(2)	(3)	(4)	(5)
1	¥ 51, 382	¥ 48, 570	¥ 5, 943	¥ 65, 748	¥ 784
2	291	324, 718	901, 856	952	43, 805
3	6, 120	5, 431	−370	386, 570	9, 158
4	804, 513	73, 082	−26, 715	13, 802	307, 429
5	15, 806	149	−7, 642	261	−4, 031
6	9, 724	81, 903	261	97, 384	−516
7	567	293, 618	619, 528	2, 937	32, 875
8	64, 932	9, 765	4, 173	405, 129	861, 290
9	458, 073	302	80, 239	8, 460	654
10	27, 618	57, 091	742, 056	230, 651	−10, 367
11	785	2, 867	38, 105	476	−279, 046
12	90, 431	18, 654	897	79, 014	−58, 693
13	372, 694	607, 295	−59, 014	842, 391	6, 172
14	8, 950	426	−864, 307	1, 785	791, 328
15	746, 039	960, 543	93, 482	56, 093	25, 940
計					

No.	(6)	(7)	(8)	(9)	(10)
1	¥ 75, 104	¥ 12, 508	¥ 5, 061	¥ 69, 703	¥ 8, 396
2	569	894, 613	38, 470	450, 671	30, 482
3	1, 276	−68, 490	692	7, 928	259, 341
4	634, 089	−9, 572	4, 085	−153	753
5	19, 327	359	721, 946	−83, 964	2, 510
6	496	−6, 027	53, 129	−2, 590	61, 407
7	23, 680	−23, 461	875, 931	501, 246	834, 076
8	6, 948	905, 278	563	75, 391	97, 634
9	352, 017	745	62, 318	819	1, 829
10	91, 830	185, 069	209, 783	−98, 267	798
11	508, 721	31, 947	3, 654	−341, 608	19, 065
12	348	−823	86, 492	4, 835	352, 106
13	80, 572	−470, 136	940, 817	136, 027	642
14	4, 915	−53, 614	704	27, 480	45, 718
15	267, 453	7, 280	17, 250	542	708, 925
計					

第7回　3級　複合算問題　(制限時間10分)

(注意) 整数未満の端数が出たときは切り捨てること。ただし、端数処理は1題の解答について行うのではなく、1計算ごとに行うこと。

採点欄

No.	
1	(798, 264 + 71, 208) ÷ (61. 3 + 82. 7) =
2	(420. 1 + 390. 9) × (328 + 4, 593) =
3	(4. 78 + 31. 22) + 5, 923 × 804 =
4	3, 176 × 51. 5 − 581, 124 ÷ 79 =
5	(3, 987, 253 − 315, 928) ÷ (7, 641 − 3, 756) =
6	(8, 640 × 9. 875) × (6. 25 × 5. 92) =
7	(317, 629 + 51, 473) ÷ (528 − 74) =
8	(433, 919 − 204, 351) ÷ (8, 295 − 4, 708) =
9	3, 917 × 468 + 3, 446, 721 ÷ 6, 491 =
10	(5, 206 × 29. 8) ÷ (16. 4 × 39) =
11	(123. 6 + 70. 4) × (60, 125 − 3, 107) =
12	20, 761, 916 ÷ 721 + 309 × 3, 861 =
13	77, 718, 784 ÷ 9, 152 + 17, 006, 744 ÷ 31, 729 =
14	4, 294, 720 ÷ 64 − 5, 077, 422 ÷ 826 =
15	(598, 201, 439 ÷ 64) ÷ (641 × 32) =
16	283 × 5, 926 − 357. 2 × 985 =
17	(5, 294 − 783) × (3, 207 − 2, 894) =
18	(6, 123, 630 ÷ 86) × (513, 097 ÷ 680. 5) =
19	3, 487, 830 ÷ 58 − 54 × 294 =
20	(27, 036. 2 ÷ 7. 9) × (319, 276 ÷ 781. 3) =

第8回　3級 乗 算 問 題 （制限時間10分）

採 点 欄

【禁無断転載】

（注意）無名数で小数第3位未満の端数が出たとき、名数で円位未満の端数が出たとき、パーセントの小数第２位未満の端数が出たときは四捨五入すること。

No.							
1	5, 618	×	754	=		%	%
2	74, 681	×	42	=		%	%
3	8, 549	×	260	=		%	%
4	6, 103	×	597	=		%	%
5	1, 850	×	619	=		%	%
No.1～No.5 小 計 ① =						100 %	
6	2. 96	×	0. 0375	=		%	%
7	903. 4	×	3. 81	=		%	%
8	0. 0325	×	17. 6	=		%	%
9	0. 427	×	0. 8423	=		%	%
10	397. 2	×	9. 08	=		%	%
No.6～No.10 小 計 ② =						100 %	
(小計 ① + ②) 合 計 =							100 %
11	¥ 4, 819	×	450	=		%	%
12	¥ 3, 941	×	394	=		%	%
13	¥ 164	×	7, 329	=		%	%
14	¥ 7, 152	×	608	=		%	%
15	¥ 5, 023	×	861	=		%	%
No.11～No.15 小 計 ③ =						100 %	
16	¥ 3, 076	×	9. 75	=		%	%
17	¥ 2, 980	×	54. 3	=		%	%
18	¥ 80, 625	×	0. 12	=		%	%
19	¥ 6, 748	×	0. 087	=		%	%
20	¥ 9, 375	×	0. 216	=		%	%
No.16～No.20 小 計 ④ =						100 %	
(小計 ③ + ④) 合 計 =							100 %

第8回　3級 除 算 問 題 （制限時間10分）

【禁無断転載】

（注意）無名数で小数第3位未満の端数が出たとき、名数で円位未満の端数が出たとき、パーセントの小数第2位未満の端数が出たときは四捨五入すること。

採点欄

No.	問題				%	%
1	60, 030	÷	138	=	%	%
2	139, 604	÷	2, 053	=	%	%
3	206, 440	÷	520	=	%	%
4	773, 720	÷	841	=	%	%
5	98, 892	÷	492	=	%	%
No.1～No.5 小 計 ① =					100 %	
6	1. 10818	÷	0. 67	=	%	%
7	0. 034265	÷	0. 039	=	%	%
8	0. 67424	÷	7. 84	=	%	%
9	4. 56945	÷	6. 15	=	%	%
10	499. 712	÷	976	=	%	%
No.6～No.10 小 計 ② =					100 %	
（小計 ① + ②） 合 計 =						100 %
11	¥ 395, 928	÷	564	=	%	%
12	¥ 39, 039	÷	231	=	%	%
13	¥ 181, 641	÷	317	=	%	%
14	¥ 718, 673	÷	7, 409	=	%	%
15	¥ 396, 180	÷	930	=	%	%
No.11～No.15 小 計 ③ =					100 %	
16	¥ 6, 417	÷	18. 6	=	%	%
17	¥ 1, 128	÷	0. 48	=	%	%
18	¥ 532	÷	0. 875	=	%	%
19	¥ 1, 150	÷	6. 25	=	%	%
20	¥ 82	÷	0. 092	=	%	%
No.16～No.20 小 計 ④ =					100 %	
（小計 ③ + ④） 合 計 =						100 %

3級

第8回　3級 見取算問題 (制限時間10分)

採点欄

No.	(1)	(2)	(3)	(4)	(5)
1	¥ 48,032	¥ 635,829	¥ 264	¥ 517	¥ 70,482
2	879,560	2,945	19,358	258,436	9,760
3	6,129	93,604	740,812	1,029	48,513
4	34,758	813	−5,730	34,872	826
5	917	754,290	−36,071	564	290,675
6	201,493	40,751	649	760,981	−1,934
7	7,851	389	473,285	95,370	−305,216
8	13,640	501,467	98,102	4,693	−93,427
9	536	68,910	1,563	75,018	583
10	950,274	7,682	24,970	126,497	69,210
11	62,307	546	−805,134	285	178,362
12	4,628	173,024	−67,829	43,961	5,094
13	185	86,132	−416	8,103	−745
14	85,791	9,708	352,097	390,752	−81,609
15	329,046	21,375	9,658	62,840	473,851
計					

No.	(6)	(7)	(8)	(9)	(10)
1	¥ 75,039	¥ 9,152	¥ 821	¥ 79,821	¥ 648
2	248,790	18,637	314,768	516,379	89,517
3	918	634,025	89,402	−265	704,236
4	3,472	213	5,837	−41,092	2,879
5	82,569	−7,568	49,062	8,430	15,302
6	109,324	−23,910	953,241	32,798	671,583
7	7,085	805,479	673	264,153	926
8	34,657	681	26,509	607	5,140
9	461,920	91,406	107,345	−7,514	23,091
10	516	760,824	68,710	−80,965	946,708
11	96,283	−195	4,168	−103,587	435
12	517,306	−45,327	974	346	58,163
13	8,142	−372,890	70,395	94,018	492,071
14	60,735	8,749	591,283	628,730	7,624
15	841	56,304	2,056	5,924	30,859
計					

第8回　3級　複合算問題　（制限時間10分）

（注意）整数未満の端数が出たときは切り捨てること。ただし、端数処理は1題の解答について行うのではなく、1計算ごとに行うこと。

採点欄

No.	
1	（4, 615 − 3, 724）×（618. 7 + 198. 9）＝
2	（20. 02 ÷ 0. 028）×（5, 320 ÷ 8. 75）＝
3	（432, 513 + 231, 371）÷（6, 816 + 2, 947）＝
4	5, 261 × 471 − 6, 321 × 452 ＝
5	（434, 971 + 201, 397）÷（8, 321 − 3, 189）＝
6	7, 311 × 284 + 2, 311 × 189 ＝
7	3, 468 × 1. 75 − 112, 572 ÷ 212 ＝
8	（5, 823 − 1, 253）×（2, 893 − 2, 792）＝
9	9, 472 × 0. 875 + 445 ÷ 0. 625 ＝
10	301, 632 ÷ 48 − 3, 208 × 0. 375 ＝
11	（61, 943 + 2, 663）×（4, 098 − 4, 047）＝
12	（474, 204 − 134, 202）÷（8, 634 − 4, 275）＝
13	（630 × 5, 712）÷（1. 122 ÷ 0. 187）＝
14	（5, 325 × 185）÷（1, 439 × 0. 057）＝
15	509, 841 ÷ 821 − 196, 259 ÷ 371 ＝
16	（4, 164, 495 − 3, 935）÷（5, 724 + 2, 216）＝
17	682. 998 ÷ 8. 1 + 5, 244 ÷ 218. 5 ＝
18	（4, 921 + 3, 745）×（798 + 185）＝
19	47 ÷ 0. 068 + 0. 824 × 29. 8 ＝
20	（4, 052, 832 ÷ 163）÷（21, 888 ÷ 456）＝

3級

第9回　3級 乗 算 問 題 (制限時間10分)

採　点　欄

(注意) 無名数で小数第3位未満の端数が出たとき、名数で円位未満の端数が出たとき、パーセントの小数第2位未満の端数が出たときは四捨五入すること。

No.							
1		3, 509	×	218	=	%	%
2		1, 497	×	356	=	%	%
3		5, 236	×	180	=	%	%
4		48, 790	×	51	=	%	%
5		7, 261	×	943	=	%	%
No.1～No.5 小 計 ① =						100 %	
6		2. 74	×	801. 9	=	%	%
7		8. 375	×	0. 064	=	%	%
8		613. 2	×	4. 57	=	%	%
9		0. 0968	×	6. 25	=	%	%
10		0. 9043	×	0. 782	=	%	%
No.6～No.10 小 計 ② =						100 %	
(小計 ① + ②) 合 計 =							100 %
11	¥	5, 013	×	149	=	%	%
12	¥	6, 409	×	534	=	%	%
13	¥	9, 068	×	730	=	%	%
14	¥	48, 321	×	97	=	%	%
15	¥	3, 756	×	491	=	%	%
No.11～No.15 小 計 ③ =						100 %	
16	¥	9, 472	×	0. 875	=	%	%
17	¥	2, 195	×	32. 6	=	%	%
18	¥	1, 687	×	0. 062	=	%	%
19	¥	7, 250	×	0. 608	=	%	%
20	¥	834	×	218. 5	=	%	%
No.16～No.20 小 計 ④ =						100 %	
(小計 ③ + ④) 合 計 =							100 %

第9回　3級 除算問題 (制限時間10分)

採点欄

(注意) 無名数で小数第3位未満の端数が出たとき、名数で円位未満の端数が出たとき、パーセントの小数第2位未満の端数が出たときは四捨五入すること。

No.	問題						
1	92,708	÷	154	=		%	%
2	380,165	÷	695	=		%	%
3	228,675	÷	3,049	=		%	%
4	783,360	÷	960	=		%	%
5	243,261	÷	537	=		%	%
No.1～No.5 小計 ① =						100 %	
6	0.02738	÷	0.072	=		%	%
7	2.52746	÷	0.26	=		%	%
8	182.754	÷	781	=		%	%
9	1.39087	÷	8.23	=		%	%
10	0.40964	÷	4.18	=		%	%
No.6～No.10 小計 ② =						100 %	
(小計 ① + ②) 合計 =							100 %
11	¥ 66,402	÷	217	=		%	%
12	¥ 462,240	÷	480	=		%	%
13	¥ 311,136	÷	3,704	=		%	%
14	¥ 344,113	÷	763	=		%	%
15	¥ 540,837	÷	891	=		%	%
No.11～No.15 小計 ③ =						100 %	
16	¥ 8,732	÷	14.8	=		%	%
17	¥ 469	÷	0.536	=		%	%
18	¥ 11,856	÷	9.5	=		%	%
19	¥ 22	÷	0.092	=		%	%
20	¥ 445	÷	0.625	=		%	%
No.16～No.20 小計 ④ =						100 %	
(小計 ③ + ④) 合計 =							100 %

3級

第9回　3級　見取算問題（制限時間10分）

採　点　欄

【禁無断転載】

No.	(1)	(2)	(3)	(4)	(5)
1	¥ 3,542	¥ 56,709	¥ 213,047	¥ 426	¥ 90,162
2	57,204	194,328	7,591	397,250	1,394
3	702,138	9,852	806	5,031	86,570
4	26,917	630	38,492	28,947	745
5	790	86,312	490,728	803	617,302
6	85,043	408,271	−3,956	903,468	−5,427
7	138,627	3,796	−72,403	71,635	−274,089
8	6,859	45,068	−631	2,189	−53,618
9	24,376	814	54,360	69,724	893
10	421	71,290	1,675	415,278	38,651
11	1,065	527,486	69,832	596	169,047
12	835,419	30,197	986,514	34,760	2,586
13	49,650	673,905	270	9,481	−839
14	690,873	154	−501,789	850,312	−45,201
15	981	2,543	−45,128	16,057	730,924
計					

No.	(6)	(7)	(8)	(9)	(10)
1	¥ 47,125	¥ 965,180	¥ 1,024	¥ 783	¥ 2,106
2	9,380	37,246	753	20,946	734,915
3	60,412	9,138	42,810	834,567	61,082
4	318,096	−70,265	183,947	17,894	849
5	534	−254,813	97,658	9,205	150,723
6	83,275	−659	4,931	−418	98,460
7	706,942	8,721	65,289	−61,932	591
8	8,691	14,908	210,475	358,021	7,638
9	95,260	506,372	38,167	73,549	203,976
10	234,857	493	5,092	2,160	46,385
11	1,049	−83,016	641	540,671	157
12	738	−1,574	876,590	−1,287	39,824
13	52,814	697,402	306	−95,703	674,510
14	179,506	385	59,423	−406,352	82,749
15	673	42,097	706,382	896	5,203
計					

第9回　3級　複合算問題　(制限時間10分)

採　点　欄

(注意) 整数未満の端数が出たときは切り捨てること。ただし、端数処理は1題の解答について行うのではなく、1計算ごとに行うこと。

No.	
1	(6, 398 + 2, 698) × (698 + 243) =
2	(280, 241 + 212, 617) ÷ (1, 892 + 7, 235) =
3	27 ÷ 0. 052 + 0. 9435 × 67. 9 =
4	206, 080 ÷ 56 − 5, 384 × 0. 125 =
5	(48, 969 + 8, 234) × (5, 021 − 4, 983) =
6	(8, 020, 584 ÷ 418) ÷ (14, 937 ÷ 383) =
7	8, 016 × 0. 625 + 532 ÷ 0. 875 =
8	(396, 352 + 164, 032) ÷ (6, 832 − 2, 454) =
9	(821 × 2, 682) ÷ (1. 176 ÷ 0. 196) =
10	2, 150 × 1. 94 − 401, 024 ÷ 832 =
11	(464, 350 − 421, 354) ÷ (7, 231 − 3, 648) =
12	(9, 328 − 7, 211) × (3, 211 − 2, 989) =
13	743. 548 ÷ 9. 6 + 2, 981 ÷ 135. 5 =
14	4, 492 × 382 + 1, 281 × 722 =
15	(2, 236 − 1, 964) × (515. 5 + 324. 7) =
16	652, 561 ÷ 923 − 198, 616 ÷ 296 =
17	4, 538 × 652 − 5, 182 × 637 =
18	(4, 301, 031 − 5, 791) ÷ (4, 832 + 312) =
19	(4, 235 × 264) ÷ (2, 178 × 0. 045) =
20	(18. 69 ÷ 0. 035) × (4, 690 ÷ 5. 36) =

第10回　3級 乗 算 問 題 （制限時間10分）

採 点 欄

（注意）無名数で小数第3位未満の端数が出たとき、名数で円位未満の端数が出たとき、パーセントの小数第2位未満の端数が出たときは四捨五入すること。

No.							
1	4, 172	×	208	=		%	%
2	5, 420	×	381	=		%	%
3	7, 314	×	860	=		%	%
4	8, 763	×	407	=		%	%
5	9, 081	×	643	=		%	%
No.1～No.5 小 計 ① =						100 %	
6	0. 0368	×	97. 5	=		%	%
7	189. 46	×	7. 9	=		%	%
8	0. 259	×	0. 5394	=		%	%
9	31. 25	×	0. 052	=		%	%
10	62. 97	×	15. 6	=		%	%
No.6～No.10 小 計 ② =						100 %	
（小計 ① + ②）合 計 =							100 %
11	¥ 70, 164	×	82	=		%	%
12	¥ 6, 219	×	268	=		%	%
13	¥ 8, 043	×	940	=		%	%
14	¥ 1, 482	×	651	=		%	%
15	¥ 4, 798	×	519	=		%	%
No.11～No.15 小 計 ③ =						100 %	
16	¥ 5, 301	×	0. 087	=		%	%
17	¥ 3, 875	×	0. 704	=		%	%
18	¥ 2, 976	×	3. 25	=		%	%
19	¥ 9, 530	×	19. 3	=		%	%
20	¥ 625	×	0. 4736	=		%	%
No.16～No.20 小 計 ④ =						100 %	
（小計 ③ + ④）合 計 =							100 %

第10回　3級 除 算 問 題 (制限時間10分)

(注意) 無名数で小数第3位未満の端数が出たとき、名数で円位未満の端数が出たとき、パーセントの小数第2位未満の端数が出たときは四捨五入すること。

採 点 欄

No.	問題					
1	535, 680	÷	864	=	%	%
2	77, 486	÷	106	=	%	%
3	293, 040	÷	740	=	%	%
4	106, 164	÷	983	=	%	%
5	634, 688	÷	6, 752	=	%	%
No.1～No.5 小 計 ① =					100 %	
6	1. 78923	÷	2. 19	=	%	%
7	3. 16313	÷	0. 37	=	%	%
8	0. 1345	÷	5. 38	=	%	%
9	0. 044918	÷	0. 095	=	%	%
10	236. 602	÷	421	=	%	%
No.6～No.10 小 計 ② =					100 %	
(小計 ① + ②) 合 計 =						100 %
11	¥ 87, 754	÷	178	=	%	%
12	¥ 131, 879	÷	209	=	%	%
13	¥ 61, 230	÷	390	=	%	%
14	¥ 211, 744	÷	416	=	%	%
15	¥ 773, 388	÷	837	=	%	%
No.11～No.15 小 計 ③ =					100 %	
16	¥ 76, 713	÷	983. 5	=	%	%
17	¥ 24	÷	0. 064	=	%	%
18	¥ 135	÷	0. 625	=	%	%
19	¥ 5, 790	÷	0. 72	=	%	%
20	¥ 36, 788	÷	54. 1	=	%	%
No.16～No.20 小 計 ④ =					100 %	
(小計 ③ + ④) 合 計 =						100 %

3級

第10回　3級 見取算問題 (制限時間10分)

採点欄

No.	(1)	(2)	(3)	(4)	(5)
1	¥ 350,962	¥ 15,463	¥ 5,126	¥ 71,034	¥ 372
2	76,318	304,275	812	268	568,710
3	1,704	61,382	702,135	460,532	19,563
4	547	7,098	26,907	5,719	8,405
5	238,659	386	−8,451	−14,850	924
6	40,591	246,910	−19,784	−691	347,186
7	629	78,034	−467,328	701,248	28,097
8	3,498	427	95,062	38,025	4,852
9	897,243	2,178	759	9,876	630,219
10	56,037	837,569	64,803	459	53,471
11	781	95,742	587,039	−892,163	798
12	91,805	690	4,670	−20,936	106,234
13	104,273	81,259	−913	−3,785	95,603
14	2,816	490,513	−30,241	96,407	2,149
15	65,420	5,601	698,354	547,312	86,570
計					

No.	(6)	(7)	(8)	(9)	(10)
1	¥ 259,340	¥ 158	¥ 40,723	¥ 63,742	¥ 390,487
2	3,127	64,923	859	365	61,795
3	46,908	813,079	62,471	918,054	4,529
4	761	2,654	935,618	1,928	82,610
5	638,452	58,710	7,094	−79,410	231
6	97,085	406,327	−236	−5,236	15,063
7	2,314	948	−83,967	−326,071	974
8	621	37,256	291,305	849	7,852
9	506,873	8,491	74,582	296,507	53,604
10	71,549	175,032	6,140	40,783	649,578
11	206	90,867	−359,078	7,120	26,439
12	84,197	3,104	−17,620	−81,352	108,796
13	325,980	596	−4,815	−489	5,120
14	10,465	749,260	369	54,876	432,018
15	7,839	21,385	528,041	106,593	387
計					

第10回　3級 複合算問題（制限時間10分）

（注意）整数未満の端数が出たときは切り捨てること。ただし、端数処理は１題の解答について行うのではなく、１計算ごとに行うこと。

採点欄

No.	
1	19 ÷ 0.041 ＋ 0.4012 × 35.3 ＝
2	432,180 ÷ 84 − 2,875 × 0.856 ＝
3	（3,692 − 2,715）×（446.1 ＋ 282.6）＝
4	（6,709,644 − 6,354）÷（3,005 ＋ 4,321）＝
5	452,628 ÷ 762 − 156,156 ÷ 286 ＝
6	（28.29 ÷ 0.046）×（2,940 ÷ 3.75）＝
7	（6,594 − 4,267）×（7,023 − 6,718）＝
8	839.264 ÷ 7.3 ＋ 8,560 ÷ 342.4 ＝
9	（3,245 × 211）÷（2,010 × 0.029）＝
10	（692,559 − 180,216）÷（8,824 − 2,935）＝
11	1,625 × 0.512 ＋ 469 ÷ 0.536 ＝
12	2,976 × 2.25 − 215,558 ÷ 346 ＝
13	（276,268 ＋ 346,572）÷（7,894 − 1,124）＝
14	（61,354 ＋ 3,215）×（4,056 − 3,984）＝
15	6,721 × 392 − 7,069 × 363 ＝
16	（538 × 6,340）÷（2.344 ÷ 0.293）＝
17	（369,825 ＋ 284,125）÷（3,218 ＋ 4,757）＝
18	3,899 × 501 ＋ 3,352 × 231 ＝
19	（4,309,524 ÷ 324）÷（16,544 ÷ 352）＝
20	（5,234 ＋ 1,824）×（475 ＋ 311）＝

3級

[編者紹介]

経理教育研究会

商業科目専門の執筆・編集ユニット。
英光社発行のテキスト・問題集の多くを手がけている。
メンバーは固定ではなく、開発内容に応じて専門性の高いメンバーが参加する。

電卓計算問題集3・4級

2021年2月1日　発行

編　者　経理教育研究会

発行所　株式会社 英光社
〒176-0012　東京都練馬区豊玉北1-9-1
TEL 050-3816-9443
振替口座 00180-6-149242
http://eikosha.net

ISBN 978-4-88327-656-1 1922034006003

本書の内容に誤りが見つかった場合は、ホームページにて正誤表を公開いたします。
http://eikosha.net/seigo

本書の内容に不審な点がある場合は、下記よりお問合せください。
http://eikosha.net/contact
FAX 03-5946-6945
※お電話でのお問合せはご遠慮ください。

落丁・乱丁本はお取り替えいたします。
上記contactよりお問合せください。